스프링 MVC 하루만에 배우기 개정판

01. 책을 시작하면서

01.01. 개정판을 내면서

이 글은 2020년에 출간되었던 "스프링 MVC 하루만에 배우기"의 개정판입니다.

큰 기대 없이 아무것도 모르는 후배에게 기초를 알려주자는 생각으로 썼던 글이 생각보다 호응이 좋아서 살짝 놀라기도 했었던 기억이 있습니다.

벌써 3년이라는 시간이 흘렀고, 그동안 개발 환경도 바뀌어서 기존 방법으로는 더이상 작동하지 않는 부분도 생겼네요. 그래서 새롭게 개정판을 작성합니다.

전반적인 흐름은 비슷합니다만, 전작과 비교했을 때 다음과 같은 차이점이 있습니다.

- 기존 책에서 제시한 방법대로 했을 때 동작하지 않던 부분이 수정되었습니다.
- 책 관리 프로젝트 대신 더 이해하기 쉽도록 블로그 프로젝트로 변경했습니다.
- MySQL 대신 현업에서 많이 사용하는 오라클을 사용합니다.
- 코드만 제시하는 것이 아니라 코드를 작성하는 요령도 하나씩 따라할 수 있도록 전체 내용을 재구성했습니다.
- ~~반말 대신 존대말을 쓰고 편집어 세련되어졌습니다.~~
- 글로만 설명하는 대신 하나씩 따라할 수 있도록 이미지를 많이 사용합니다. ~~덕분에 책의 분량어 늘어나 버려서 가격을 낮추가 가 어려워졌습니다.~~

전작이 출시된 2020년만 해도 국내에 스프링 MVC 프로젝트가 꽤 많았으나, 2023년 현재에는 스프링 MVC로 신규 프로젝트를 시작하는 경우는 많이 줄었습니다. 대신 대부분의 신규 자바 프로젝트는 스프링 부트를 이용하게 되었습니다. ~~그런고로 스프링 부트를 배우기 위해서~~

는 스프링 부트 하루만에 배우기 <연서은>를 참고하세요.

그렇다고 해서 스프링 MVC가 필요없어진 것은 아닙니다. 기존에 이미 스프링 MVC로 구축된 시스템을 유지보수하거나 고도화하는 경우에는 사용해야 합니다.

게다가 국내 프로젝트의 중요한 부분을 담당하는 한 축인 전자정부 표준 프레임워크의 경우 3.9버전까지 스프링 MVC 기반으로 되어있기 때문에, 스프링 MVC를 사용할 줄 알아야 전자정부 표준 프레임워크 프로젝트에 참여하기 쉬워집니다.

> 여담으로 전자정부 표준 프레임워크 4부터는 스프링 부트를 도입했으나, 정작 전자정부 표준 프레임워크의 핵심인 콤포넌트들은 모두 스프링 MVC 기반으로 작성되어 있어서 4버전을 사용하려면 스프링 부트 방식과 스프링 MVC 방식 둘 다 써야 하므로 **끔찍한 혼종** 혼란이 가중된 상태입니다.
>
> 따라서 아직까지는 전자정부 표준 프레임워크를 쓰는 프로젝트는 신규 프로젝트라고 해도 스프링 MVC 기반의 3버전을 사용합니다.

01.02. 들어가며

단 하루면 스프링 MVC로 만든 웹 어플리케이션을 따라 만들 수 있습니다.

이 글은 스프링 프레임워크로 웹을 개발하는 스프링 MVC에 대해 최대한 간결하게 설명합니다.
복잡한 이론보다는 툴과 프레임워크 사용법에 촛점을 맞추고 하나씩 따라할 수 있도록 구성했습니다.

우리는 "문제"를 가지고 있고 "해결책" 이 필요합니다.
물에 빠진 사람이 구해달라고 허우적대는데 부력의 원리에 대해서 한바탕 설교를 늘어놓는다면 어떨까요?
어쩌면 설명을 듣다 말고 익사할지도 모릅니다.
당장 필요한 것은 과학적 지식이 아니라 튜브입니다.

물에 빠진 사람이 구출되고 나서는 여러 가지 행태를 보일 수 있습니다.

누군가는 당장 수영을 배우러 갈 것입니다.
다른 누군가는 구조요원 근처에서만 수영할 수도 있을 거에요.
어쩌면 물에 들어갈 때 무조건 튜브를 가지고 가는 사람도 있을 것이고, 교훈은 전혀 얻지 못한 채 다시 한 번 물에 휩쓸리는 사람도 있을 것으로 생각합니다.

이 책은 당장 물에 빠진 사람에게 생존을 위해 물 위에 뜨는 법에 초점을 맞춥니다.
가장 간단한 기초 기능만을 가지고 아주 단순한 웹 애플리케이션을 만들어 봅니다.
글의 목적은 스프링 MVC의 모든 기능을 익히는 것이 아니라, 전반적인 스프링 MVC 프로젝트의 구조를 익히는 것입니다.
평형이든 접영이든 물 위에 뜰 수 있어야 더 어려운 수영법을 배울 수 있듯이 기초를 익히고 나면 더 많은 고급기능을 체득할 수 있을 것이라

믿습니다.

01.03. 블로그 프로젝트 개요

우리는 이번 자습서에서 간단한 블로그 어플리케이션을 만들 겁니다. 블로그 컨텐츠를 작성하고, 컨텐츠 상세 내용을 살펴보고, 컨텐츠를 수정할 수 있으며, 필요한 경우 삭제할 수 있습니다. 또한 전체 항목을 보기 위한 목록 기능도 만들어 봅니다.

기초적인 CRUD에 익숙해지면 나머지는 그 변형에 불과합니다. 만들고(Create), 읽고(Read), 갱신하고(Update), 삭제하는(Delete) 기능을 어떻게 만드는지 함께 살펴봅시다.

02. 기초 프로그램 설치

02.01. 프로젝트 폴더 생성

02.01.01. 프로젝트 폴더 생성 개요

프로젝트 관련 정보를 모아두는 프로젝트 폴더를 생성합니다.

02.01.02. 프로젝트 폴더 생성

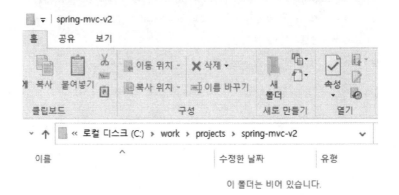

1. 프로젝트 폴더를 생성합니다.

프로젝트 폴더 위치는 상관 없습니다만, 의도치 않은 혼선을 방지하기 위해 가능하면 저와 같은 곳으로 지정하는 것을 추천드립니다.
저는 `C:\work\projects\spring-mvc-v2` 폴더를 만들었습니다.

02.02. JDK 8 설치

JDK 를 설치해 봅니다.

우리는 스프링 MVC 개발 언어로 자바를 사용합니다.
JDK 는 Java Development Kit 의 약자로, 자바로 프로그램을 개발하기 위해서는 JDK 설치가 필요합니다.

JDK 는 21버전까지 나왔지만, 우리는 스프링 웹 MVC에서 가장 많이 쓰이는 자바 8버전을 사용하겠습니다.
참고로 자바 1.8 버전은 JDK에서 8이라고 부릅니다. ~~아마도 자바는 본인어 21버전까지 나올 것이라는 걸 예상 못한 게 아닌가 싶습니다.~~

02.02.02. JDK 웹사이트 접속

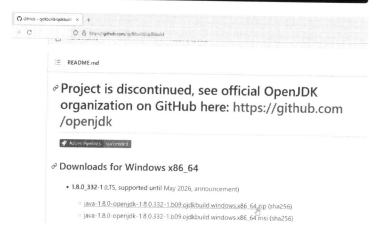

1. https://github.com/ojdkbuild/ojdkbuild 에 접속합니다.
2. java-1.8.0-openjdk-1.8.0.332-1.b09.ojdkbuild.windows.x86 _64.zip (sha256) 링크를 클릭합니다.

02.02.03. JDK 압축 내용 확인

1. 다운로드한 JDK 8의 압축 내용을 확인합니다.

02.02.04. JDK 압축 해제

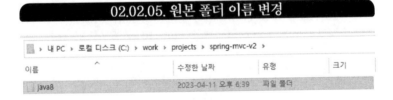

1. 프로젝트 폴더 아래에 압축을 해제합니다.

02.02.05. 원본 폴더 이름 변경

1. 원본 폴더 이름이 너무 길기 때문에 java8 로 변경합니다.

02.03. STS3 설치

STS3를 설치해 봅니다.

STS는 Spring Tool Suite 의 약자로, 스프링 개발에 특화된 프로그램입니다. 즉, 스프링 프레임워크를 이용해서 프로그램을 만들 때 사용하는 프로그램입니다.
STS는 이클립스(Eclipse) 라는 유명한 자바 개발 툴을 기반으로 만들어졌습니다.

STS는 현재 4버전까지 나온 상태지만, 우리는 STS 3버전을 이용합니다. STS 3는 스프링 프레임워크를 이용한 개발을 위해 만들어진 데 반해, STS 4는 스프링 부트 위주로 개발환경이 구성되어 있기 때문입니다.

02.03.02. STS3 사이트 접속

Spring Tool Suite 3.9.15 (New and Noteworthy)

full distribution on Eclipse 4.18

- https://download.springsource.com/release/STS/3.9.15.RELEASE/dist/e4.18/spring-tool-suite-3.9.15.RELEASE-e4.18.0-win32-x86_64.zip
- https://download.springsource.com/release/STS/3.9.15.RELEASE/dist/e4.18/spring-tool-suite-3.9.15.RELEASE-e4.18.0-macosx-cocoa-x86_64.dmg
- https://download.springsource.com/release/STS/3.9.15.RELEASE/dist/e4.18/spring-tool-suite-3.9.15.RELEASE-e4.18.0-linux-gtk-x86_64.tar.gz

full distribution on Eclipse 4.17

- https://download.springsource.com/release/STS/3.9.15.RELEASE/dist/e4.17/spring-tool-suite-3.9.15.RELEASE-e4.17.0-win32-x86_64.zip
- https://download.springsource.com/release/STS/3.9.15.RELEASE/dist/e4.17/spring-tool-suite-3.9.15.RELEASE-e4.17.0-macosx-cocoa-x86_64.dmg
- https://download.springsource.com/release/STS/3.9.15.RELEASE/dist/e4.17/spring-tool-suite-3.9.15.RELEASE-e4.17.0-linux-gtk-x86_64.tar.gz

full distribution on Eclipse 4.16

- https://download.springsource.com/release/STS/3.9.15.RELEASE/dist/e4.16/spring-tool-suite-3.9.15.RELEASE-e4.16.0-win32-x86_64.zip
- https://download.springsource.com/release/STS/3.9.15.RELEASE/dist/e4.16/spring-tool-suite-3.9.15.RELEASE-e4.16.0-macosx-cocoa-x86_64.dmg
- https://download.springsource.com/release/STS/3.9.15.RELEASE/dist/e4.16/spring-tool-suite-3.9.15.RELEASE-e4.16.0-linux-gtk-x86_64.tar.gz

1. https://github.com/spring-attic/toolsuite-distribution/wiki/S pring-Tool-Suite-3 에 접속합니다.
2. Eclipse 4.16 기반의 최신 버전인 STS 3.9.15 버전을 다운 로드합니다. 구체적인 다운로드 링크는 https://download.spri ngsource.com/release/STS/3.9.15.RELEASE/dist/e4.16/spr ing-tool-suite-3.9.15.RELEASE-e4.16.0-win32-x86_64.zip 입니다.

02.03.03. STS 버전 선택 이유

Eclipse 4.19.0 (2021-03) was released on March 17, 2021

A Java 11 or newer JRE/JDK is required. LTS release are preferred to run all Eclipse 2021-03 packages based on Eclipse 4.19, with certain packages choosing to provide one by default.

Eclipse 4.18 (2020-12)

Eclipse 4.18.0 (2020-12) was released on December 16, 2020.

A Java 11 or newer JRE/JDK is required. LTS release are preferred to run all Eclipse 2020-12 packages based on Eclipse 4.18, with certain packages choosing to provide one by default.

Eclipse 4.17 (2020-09)

Eclipse 4.17.0 (2020-09) was released on September 16, 2020.

A Java 11 or newer JRE/JDK is required. LTS release are preferred to run all Eclipse 2020-09 packages based on Eclipse 4.17, as well as the installer.

Eclipse 4.16 (2020-06)

Eclipse 4.16.0 (2020-06) was released on June 17, 2020.

A Java 8 or newer JRE/JDK is required. LTS release are preferred to run all Eclipse 2020-06 packages based on Eclipse 4.16, as well as the installer.

최신 버전이 있음에도 이클립스 4.16 기반 STS 3.9.15 버전을 사용하는 이유는 이클립스 4.16 버전이 자바 8을 지원하는 마지막 이클립스 버전이기 때문입니다. 이클립스 4.17 버전부터는 최소 자바 버전이 11이기 때문에 우리가 설치한 JDK 8 을 사용할 수가 없습니다.

02.03.04. STS 압축 파일 내용 확인

1. 다운로드한 STS 압축 파일 내용을 확인해 봅니다. 내부에 sts-

3.9.15.RELEASE 폴더가 있어야 합니다.

02.03.05. STS 압축 해제

1. 프로젝트 디렉토리에 sts-3.9.15.RELEASE 폴더를 압축 해제
   합니다.

02.03.06. STS 폴더 이름 변경

> 내 PC › 로컬 디스크 (C:) › work › projects › spring-mvc-v2 ›

이름	수정한 날짜	유형	크기
java8	2023-04-11 오후 6:39	파일 폴더	
sts3	2021-09-14 오전 2:20	파일 폴더	

1. sts-3.9.15.RELEASE 폴더의 이름을 sts3 로 변경합니다.

02.04. STS 자바 경로 지정

02.04.01. STS 자바 경로 지정 개요

STS 에 자바 경로를 지정해 주겠습니다.

PC에 전역으로 자바를 설치할 경우 꼭 필요한 작업은 아니지만, 우리
는 자바를 그저 다운로드해 두었을 뿐이므로 STS 에 자바의 경로를 알
려줘야 합니다.

02.04.02. STS.ini 파일 열기

1. STS3 폴더 안의 STS.ini 파일을 아무 편집기로 엽니다. 메모장
   도 관계 없고 VSCode 같은 프로그래밍 편집기도 상관없습니
   다.

02.04.03. STS.ini 파일 내용 확인

```
STS.ini   ×
C: > work > projects > spring-mvc-v2 > sts3 >  STS.ini
   1    -startup
   2    plugins/org.eclipse.equinox.launcher_1.5.700.v20200207-2156.jar
   3    --launcher.library
   4    plugins/org.eclipse.equinox.launcher.win32.win32.x86_64_1.1.1200.v20200508-1552
   5    -product
   6    org.springsource.sts.ide
   7    --launcher.defaultAction
   8    openFile
   9    -vmargs
  10    -Dosgi.requiredJavaVersion=1.8
  11    -Dosgi.dataAreaRequiresExplicitInit=true
  12    -Xms256m
  13    -Xmx2048m
  14    --add-modules=ALL-SYSTEM
  15    -Dosgi.module.lock.timeout=10
```

1. 파일을 열면 위와 같이 보입니다.

02.04.04. 자바 경로 지정

```
STS.ini   ×
C: > work > projects > spring-mvc-v2 > sts3 >  STS.ini
   1    -startup
   2    plugins/org.eclipse.equinox.launcher_1.5.700.v20200207-2156.jar
   3    --launcher.library
   4    plugins/org.eclipse.equinox.launcher.win32.win32.x86_64_1.1.1200.v20200508-1552
   5    -product
   6    org.springsource.sts.ide
   7    --launcher.defaultAction
   8    openFile
   9    -vm
  10    C:\work\projects\spring-mvc-v2\java8\bin\javaw.exe
  11    -vmargs
  12    -Dosgi.requiredJavaVersion=1.8
  13    -Dosgi.dataAreaRequiresExplicitInit=true
  14    -Xms256m
  15    -Xmx2048m
  16    --add-modules=ALL-SYSTEM
  17    -Dosgi.module.lock.timeout=10
```

STS.ini
```
-vm
C:\work\projects\spring-mvc-v2\java8\bin\javaw.exe
```

1. -vmargs 위에 내용을 붙여넣습니다.

만약 자바 설치 경로가 저와 다르시다면, `{자바 설치 경로}\bin\java` `w.exe` 로 지정해 주세요.

03. 프로젝트 처음 세팅

03.01. STS 실행

처음으로 STS 프로그램을 실행해 봅니다.

1. 프로젝트 폴더 아래에 `workspace` 폴더를 만들어 주세요.

소스코드를 작성할 작업 공간 폴더를 만듭니다. 이클립스 기반 생태계에서 소스코드가 담기는 공간을 워크스페이스(workspace - 작업공간)라고 부릅니다.

03.01.03. STS 실행

1. sts3 폴더 안의 STS.exe 파일을 더블클릭합니다.

03.01.04. 워크스페이스 지정

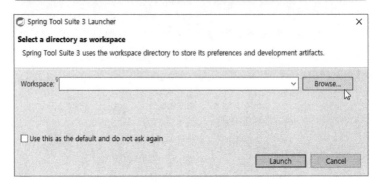

1. STS가 처음 실행되면 워크스페이스를 지정하라는 문구가 보여집니다. Browse 버튼을 클릭합니다.

03.01.05. 워크스페이스 폴더 선택

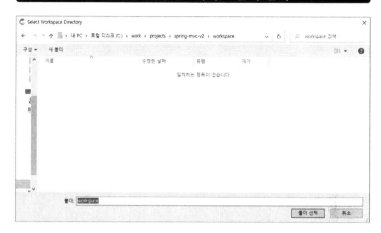

1. 워크스페이스로 사용할 폴더를 선택합니다. 만들어둔 `worksp ace` 폴더 경로인 `C:\work\projects\spring-mvc-v2\workspa ce` 를 선택했습니다.

03.01.06. 실행하기

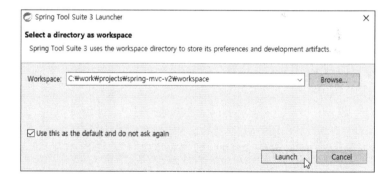

1. Use this as the default and do not ask again 체크 후 Launch 버튼을 클릭합니다.

1. STS가 실행된 것을 확인합니다.
2. Dashboard 는 특별히 볼 게 없으므로 닫으셔도 됩니다.

03.02. 프로젝트 생성

03.02.01. 프로젝트 생성 개요

STS를 이용해 스프링 MVC 프로젝트를 생성합니다.

03.02.02. 프로젝트 생성 메뉴 진입

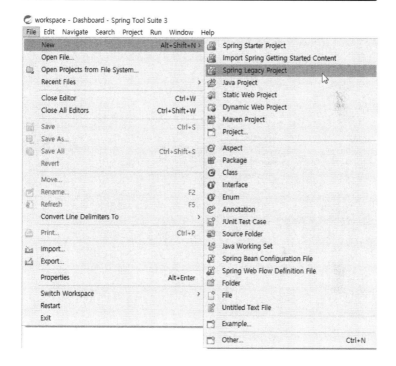

1. File 메뉴을 선택합니다.
2. New를 클릭합니다.
3. Spring Legacy Project 를 누릅니다.

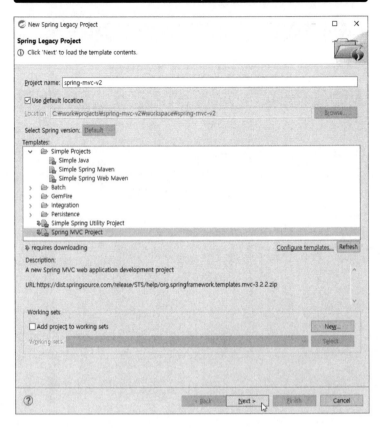

1. Project name : spring-mvc-v2로 지정합니다.
2. use default location : 기본값이 체크된 상태일 꺼에요. 체크된
   상태로 그냥 둡니다.
3. templates : Spring MVC Project를 선택합니다.
4. Next 버튼을 클릭합니다.

우리가 만들 프로젝트의 정보를 설정합니다. 프로젝트 이름은 큰 관계

없지만 책 전반에 걸쳐 이름이 나오므로 헷갈리지 않으시려면 저와 같은 이름을 쓰시는 것을 추천합니다.

03.02.04. 추가 다운로드 확인

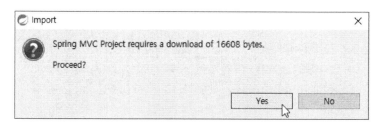

1. Yes 를 누릅니다.

스프링 MVC 프로젝트 생성을 위해서는 추가 다운로드가 필요하다고 하네요. Yes를 눌러야 진행할 수 있습니다.

03.02.05. 패키지 이름 입력

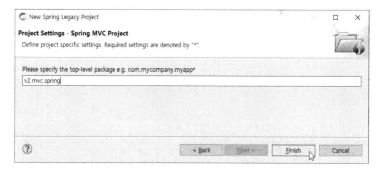

1. 우리가 생성할 프로젝트의 기본 패키지 이름을 입력합니다. 저는 `v2.mvc.spring` 로 지었습니다.
2. 멋진 이름을 짓고 나면 Finish 버튼을 클릭합니다.

꼭 저와 같은 이름을 지으실 필요는 없지만, 강의를 따라가시면서 이름이 다르면 혼선이 생길 우려가 있으므로 연습시에는 같은 이름을 추천드립니다.

> 일반적으로 패키지 이름은 `{프로젝트.도메인.거꾸로}` 형식으로 짓습니다. 예를 들어 도메인이 `ysedev.com` 이고 프로젝트 이름이 `myproject` 라면 패키지 이름은 `myproject.com.ysedev` 가 되는 식입니다.

03.02.06. 프로젝트 생성중

workspace - Spring Tool Suite 3

File   Edit   Source   Refactor   Navigate   Search   Proje

Package Explorer ⊠

> spring-mvc-v2

1. 프로젝트 생성 화면을 감상합니다.

이클립스에서 프로젝트를 생성하는 중입니다.
패키지 탐색기를 보시면 spring-mvc-v2 프로젝트 생성되어 있는 것을 볼 수 있습니다. 다만 아직 프로젝트 생성이 완료되지 않아서 빨간색 X 표시가 보이네요.

03.02.07. 빌드 상황 확인

Building workspace: (66%)

1. 빌드 상황은 오른쪽 아래에 Building workspace 를 보시면 알
   수 있습니다. 100%가 되기를 바라면서 커피라도 한 잔 하러
   다녀오세요.

03.02.08. 빌드 완료 확인

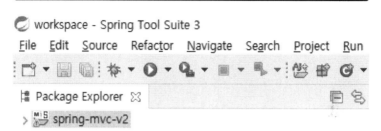

1. 빌드가 완료된 것을 확인합니다. 프로젝트 생성(빌드)이 끝나
   면 오른쪽 아래의 Building workspace 메시지는 사라집니다.
2. 패키지 탐색기의 프로젝트 정보에도 빨간 X 표시가 없어져 있
   습니다.

03.03. 프로젝트 자바 버전 8로 변경

03.03.01. 프로젝트 자바 버전 8로 변경 개요

STS를 처음 설치한 후라면, 자바 버전이 1.6으로 설정되어 있을 겁니다. 우리는 JDK 8 (java 1.8)을 사용하므로, STS에게 프로젝트 자바 버전을 알려주겠습니다.

03.03.02. 프로젝트 속성 메뉴 진입

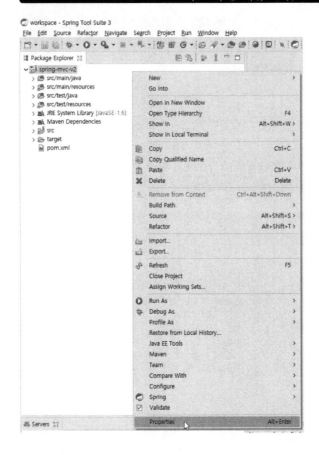

1. STS 왼쪽의 패키지 탐색기 에서 프로젝트를 우클릭하면 메뉴

가 보여집니다.

2. 가장 아래의 properties 메뉴를 선택합니다.

03.03.03. 프로젝트 속성

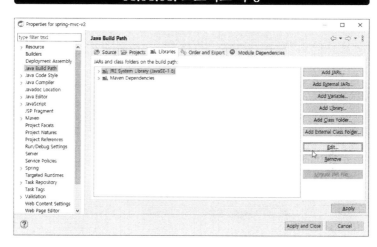

1. 왼쪽 선택 메뉴에서 java build path 를 선택합니다.
2. 가운데의 Libraries 탭을 선택합니다.
3. JRE System Library JavaSE-1.6 선택합니다
4. edit 버튼을 클릭합니다.

프로젝트 속성 모달 팝업입니다. 프로젝트 설정은 여기서 설정합니다.

1. Workspace default JRE를 선택합니다.
2. Finish 버튼을 클릭합니다.

JRE 선택 모달 팝업이 보여집니다.

> JRE 는 Java Runtime Enviorment 를 말하며, 구체적으로는 자바로 작성된 프로그램을 실행할 때 사용되는 자바 런타임 입니다. 반면 개발에 사용되는 자바는 JDK(Java Developme nt Kit)라고 부릅니다.

03.03.05. JRE 자바 버전 변경 확인

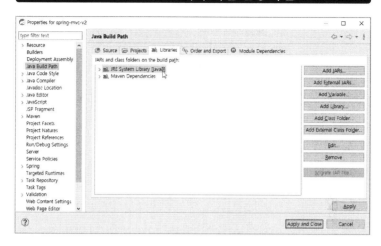

1. JRE 버전이 java8 로 변경되었음을 확인합니다.

03.03.06. 변경사항 저장

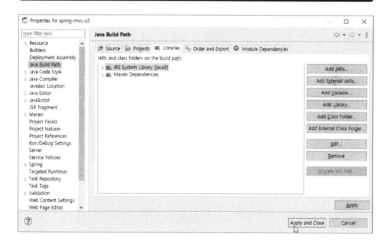

1. Apply and Close 버튼을 클릭해서 변경사항을 저장합니다.

03.04. 메이븐 자바 버전 8로 변경

메이븐(maven)에게 자바 버전을 알려주겠습니다.

메이븐은 프로젝트를 생성하고 라이브러리를 관리하고 빌드하는 것까지 프로젝트의 라이프 사이클을 관리하는 소프트웨어입니다. 우리의 프로젝트도 메이븐으로 빌드되어 있습니다.
처음 접한다면 잘 모르시는 것은 지극히 정상입니다. 현재 시점에서는 그냥 자동으로 라이브러리를 쓸 수 있게 해 준다는 점만 기억해 주세요. 라이브러리를 관리해 주는 것을 의존성 관리라고 합니다.

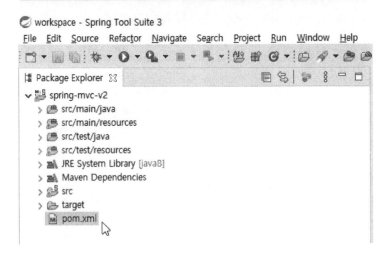

1. 패키지 탐색기 에서 pom.xml 파일을 더블클릭합니다.

----

pom.xml 파일은 메이븐의 설정 파일입니다.

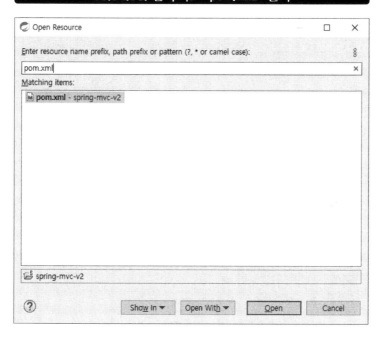

1. `ctrl + shift + r` 키를 누르면 리소스 열기 창이 보여집니다
.

2. 검색창에 파일 이름 `pom.xml` 을 입력합니다.
3. 목록에서 원하는 파일을 선택합니다.
4. Open 버튼을 클릭합니다.

단축키로 프로젝트에 있는 파일을 여는 방법을 알아봅니다. 이 방법은
프로젝트 파일이 많아지면 굉장히 유용하게 쓰이므로 꼭 익혀두시기
를 추천드립니다.

03.04.04. pom.xml 파일의 자바 버전 확인

```
spring-mvc-v2/pom.xml
  1  <?xml version="1.0" encoding="UTF-8"?>
  2  <project xmlns="http://maven.apache.org/POM/4.0.0" xmlns:xsi="http://www.w3.org/2001/XMLSchema-inst
  3      xsi:schemaLocation="http://maven.apache.org/POM/4.0.0 https://maven.apache.org/maven-v4_0_0.xsd
  4      <modelVersion>4.0.0</modelVersion>
  5      <groupId>v2.mvc</groupId>
  6      <artifactId>spring</artifactId>
  7      <name>spring-mvc-v2</name>
  8      <packaging>war</packaging>
  9      <version>1.0.0-BUILD-SNAPSHOT</version>
 10      <properties>
 11          <java-version>1.6</java-version>
 12          <org.springframework-version>3.1.1.RELEASE</org.springframework-version>
 13          <org.aspectj-version>1.6.10</org.aspectj-version>
 14          <org.slf4j-version>1.6.6</org.slf4j-version>
 15      </properties>
```

\<java-version\>1.6\</java-version\>

1. `pom.xml` 파일은 위와 같이 보입니다. 자바 버전이 1.6 으로 지정되어 있는 것을 확인합니다.

03.04.05. 자바 버전 변경

```
spring-mvc-v2/pom.xml
  1  <?xml version="1.0" encoding="UTF-8"?>
  2  <project xmlns="http://maven.apache.org/POM/4.0.0" xmlns:xsi="http://www.w3.org/2001/XMLSchema-inst
  3      xsi:schemaLocation="http://maven.apache.org/POM/4.0.0 https://maven.apache.org/maven-v4_0_0.xsd
  4      <modelVersion>4.0.0</modelVersion>
  5      <groupId>v2.mvc</groupId>
  6      <artifactId>spring</artifactId>
  7      <name>spring-mvc-v2</name>
  8      <packaging>war</packaging>
  9      <version>1.0.0-BUILD-SNAPSHOT</version>
 10      <properties>
 11          <java-version>1.8</java-version>
 12          <org.springframework-version>3.1.1.RELEASE</org.springframework-version>
 13          <org.aspectj-version>1.6.10</org.aspectj-version>
 14          <org.slf4j-version>1.6.6</org.slf4j-version>
 15      </properties>
```

\<java-version\>1.8\</java-version\>

1. 자바 버전을 1.8로 변경합니다.
2. ctrl + s 키를 눌러서 저장합니다.

03.05. 메이븐 스프링 버전 변경

03.05.01. 메이븐 스프링 버전 변경 개요

메이븐에게 우리가 사용할 스프링 버전을 알려주겠습니다. `pom.xml`
이 편집기에 열려있는지 확인하시고, 열려있지 않다면 리소스 열기 (c
trl + shift + r) 기능으로 해당 파일을 열어주세요.

03.05.02. 기본 스프링 버전 확인

```
spring-mvc-v2/pom.xml
 1  <?xml version="1.0" encoding="UTF-8"?>
 2  <project xmlns="http://maven.apache.org/POM/4.0.0" xmlns:xsi="http://www.w3.org/2001/XMLSchema-instance"
 3      xsi:schemaLocation="http://maven.apache.org/POM/4.0.0 https://maven.apache.org/maven-v4_0_6.xsd">
 4      <modelVersion>4.0.0</modelVersion>
 5      <groupId>v2.mvc</groupId>
 6      <artifactId>spring</artifactId>
 7      <name>spring-mvc-v2</name>
 8      <packaging>war</packaging>
 9      <version>1.0.0-BUILD-SNAPSHOT</version>
10      <properties>
11          <java-version>1.8</java-version>
12          <org.springframework-version>3.1.1.RELEASE</org.springframework-version>
13          <org.aspectj-version>1.6.10</org.aspectj-version>
14          <org.slf4j-version>1.6.6</org.slf4j-version>
15      </properties>
```

1. `pom.xml` 파일이 열려있는지 확인합니다.
2. `<org.springframework-version>` 태그 사이의 스프링 버전을
   확인합니다.

STS 3를 이용해서 프로젝트를 생성할 경우 기본 스프링 버전은 3.1.1
입니다.

```
spring-mvc-v2/pom.xml 
  1  <?xml version="1.0" encoding="UTF-8"?>
  2  <project xmlns="http://maven.apache.org/POM/4.0.0" xmlns:xsi="http://www.w3.org/2001/XMLSchema-inst
  3    xsi:schemaLocation="http://maven.apache.org/POM/4.0.0 https://maven.apache.org/maven-v4_0_0.xsd
  4    <modelVersion>4.0.0</modelVersion>
  5    <groupId>v2.mvc</groupId>
  6    <artifactId>spring</artifactId>
  7    <name>spring-mvc-v2</name>
  8    <packaging>war</packaging>
  9    <version>1.0.0-BUILD-SNAPSHOT</version>
 10    <properties>
 11        <java-version>1.8</java-version>
 12        <org.springframework-version>5.3.26</org.springframework-version>
 13        <org.aspectj-version>1.6.10</org.aspectj-version>
 14        <org.slf4j-version>1.6.6</org.slf4j-version>
 15    </properties>
```

```
<org.springframework-version>5.3.26</org.springfra
mework-version>
```

1. 3.1.1.RELEASE 를 5.3.26 으로 변경합니다.

JDK 8 을 지원하는 마지막 스프링 버전은 5.3.26입니다.

주의할 점은 3.1.1 버전의 경우 스프링 버전이 3.1.1.RELEASE 라고
되어있는데 반해 5.3.26 은 .RELEASE 없이 5.3.26만 있다는 점입니
다.

03.06. 프로젝트 클린

STS 프로젝트 정보를 청소하는 방법을 알아봅니다.

STS는 프로젝트의 관리를 위해 내부적으로 정보나 클래스 데이터 등을 캐시합니다. 우리가 코드를 잘 바꾸었더라도 STS 내부의 정보로 인해 정상적으로 실행이 잘 안될 때가 있어요. 그럴 때를 대비해서 프로젝트의 정보를 정리하는 방법을 알아봅니다.

가끔 이유를 모르겠는데 실행이 잘 안된다면 프로젝트 클린 후 다시 실행해 보세요.

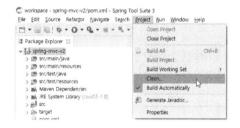

1. 메뉴의 Project를 클릭합니다.
2. Clean을 선택합니다.

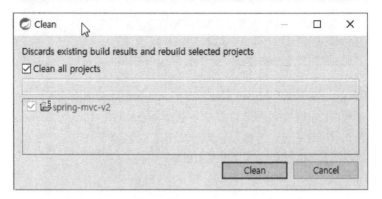

1. Clean 버튼을 클릭합니다.

정리할 프로젝트를 물어봅니다. 현재 프로젝트는 하나밖에 없으므로
선택된 그대로 Clean 을 클릭합니다.

03.07. 메이븐 클린

메이븐 클린을 하는 방법을 알아봅니다.

메이븐 클린은 메이븐이 이전에 빌드한 캐시 정보를 삭제할 때 사용합
니다. 즉, 빌드 툴이 빌드를 위해서 가지고 있는 정보들을 초기화함으
로써 깨끗한 상태에서 다시 빌드를 할 때 필요합니다.
프로젝트 클린과 마찬가지로 이유는 잘 모르겠는데 잘 안될 때 비장의
무기처럼 사용하세요. 대부분 현업 개발자들은 뭔가 안되면 프로젝트
클린 후 메이븐 클린을 습관처럼 사용합니다.

37

1. 프로젝트를 우클릭합니다.
2. Run As 를 선택합니다.
3. 6 Maven Clean을 클릭합니다.

03.07.03. 메이븐 클린 콘솔

```
Overview | Dependencies | Dependency Hierarchy | Effective POM | pom.xml
Console ⅹ Progress Problems                                    ✕ ✕ ✕ | ⌫ ⌷ ⌷ ⌷ | ⌷ ⌷ · ⌷ · | ⌷ ⌷ · ⌷
<terminated> C:\work\projects\spring-mvc-v2\java8\bin\javaw.exe (2023. 9. 18 오전 10:04:54)
SLF4J: Class path contains multiple SLF4J bindings.
SLF4J: Found binding in [jar:file:/C:/work/projects/spring-mvc-v2/sts3/plugins/org.eclipse.m2e.maven.runt
SLF4J: Found binding in [file:/C:/work/projects/spring-mvc-v2/sts3/configuration/org.eclipse.osgi/6/0/.cp
SLF4J: See http://www.slf4j.org/codes.html#multiple_bindings for an explanation.
SLF4J: Actual binding is of type [org.slf4j.impl.SimpleLoggerFactory]
SLF4J: Class path contains multiple SLF4J bindings.
SLF4J: Found binding in [jar:file:/C:/work/projects/spring-mvc-v2/sts3/plugins/org.eclipse.m2e.maven.runt
SLF4J: Found binding in [file:/C:/work/projects/spring-mvc-v2/sts3/configuration/org.eclipse.osgi/6/0/.cp
SLF4J: See http://www.slf4j.org/codes.html#multiple_bindings for an explanation.
SLF4J: Actual binding is of type [org.slf4j.impl.SimpleLoggerFactory]
[INFO] Scanning for projects...
[INFO]
[INFO] ------------------------< v2.mvc:spring >------------------------
[INFO] Building spring-mvc-v2 1.0.0-BUILD-SNAPSHOT
[INFO] --------------------------------[ war ]---------------------------------
[INFO]
[INFO] --- maven-clean-plugin:2.5:clean (default-clean) @ spring ---
[INFO] Deleting C:\work\projects\spring-mvc-v2\workspace\spring-mvc-v2\target
[INFO] ------------------------------------------------------------------------
[INFO] BUILD SUCCESS
[INFO] ------------------------------------------------------------------------
[INFO] Total time:  1.322 s
[INFO] Finished at: 2023-09-18T10:05:04+09:00
[INFO] ------------------------------------------------------------------------
```

1. 가운데 아래에 보시면 `pom.xml` 이라고 적혀진 탭의 콘솔창에
   메시지가 올라오기 시작합니다. 초록색으로 Build Success 메
   시지가 나오면 성공입니다.

03.08. 메이븐 빌드

03.08.01. 메이븐 빌드 개요

메이븐 빌드를 하는 방법을 알아봅니다.

메이븐 빌드는 `pom.xml` 파일에 설정된 라이브러리를 다운받고, 자바
프로젝트를 빌드해서 실행할 수 있게 만들어주는 과정입니다.
따라서 `pom.xml` 이 변경되었다면, 반드시 메이븐 빌드를 해 주어야 해
당하는 라이브러리가 프로젝트 내용에 반영됩니다.

03.08.02. 메이븐 빌드하기

1. 프로젝트를 우클릭합니다.
2. Run As 를 선택합니다.
3. 4 Maven Build를 클릭합니다.

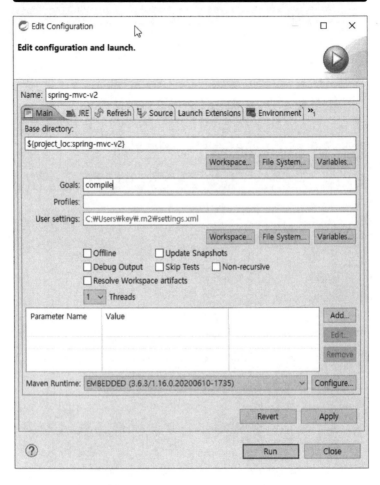

1. Goals 에 `compile` 을 입력합니다.
2. Run 버튼을 클릭합니다.

메이븐 빌드를 한번도 설정하지 않은 상태에서 메이븐 빌드 메뉴를 선

택하면 빌드 환경을 설정하는 팝업창이 보여집니다.

> Goals 는 메이븐 빌드가 무엇을 할 지 설정하는 것으로, `clean`, `compile`, `package`, `install`, `deploy` 등이 있습니다. `clean` 은 STS에 기본 메뉴로 설정되어 있고, 최소한의 빌드를 하는 옵션이 `compile` 이므로 우리는 `compile` 로 설정합니다.

03.08.04. Build Success

```
Overview | Dependencies | Dependency Hierarchy | Effective POM | pom.xml
🖥 Console ⌧ | 🔲 Progress | 🔲 Problems                              ✕ ✕ ... 
<terminated> spring-mvc-v2 [Maven Build] C:\work\projects\spring-mvc-v2#java8#bin#javaw.exe (2023. 9. 18 오전 10:30:55 – 오전 10:31:07)
SLF4J: Class path contains multiple SLF4J bindings.
SLF4J: Found binding in [jar:file:/C:/work/projects/spring-mvc-v2/sts3/plugins/org.eclipse.m2e.maven.runt
SLF4J: Found binding in [file:/C:/work/projects/spring-mvc-v2/sts3/configuration/org.eclipse.osgi/6/0/.cp
SLF4J: See http://www.slf4j.org/codes.html#multiple_bindings for an explanation.
SLF4J: Actual binding is of type [org.slf4j.impl.SimpleLoggerFactory]
SLF4J: Class path contains multiple SLF4J bindings.
SLF4J: Found binding in [jar:file:/C:/work/projects/spring-mvc-v2/sts3/plugins/org.eclipse.m2e.maven.runt
SLF4J: Found binding in [file:/C:/work/projects/spring-mvc-v2/sts3/configuration/org.eclipse.osgi/6/0/.cp
SLF4J: See http://www.slf4j.org/codes.html#multiple_bindings for an explanation.
SLF4J: Actual binding is of type [org.slf4j.impl.SimpleLoggerFactory]
[INFO] Scanning for projects...
[INFO]
[INFO] ------------------------< v2.mvc:spring >------------------------
[INFO] Building spring-mvc-v2 1.0.0-BUILD-SNAPSHOT
[INFO] --------------------------------[ war ]--------------------------------
[INFO]
[INFO] --- maven-resources-plugin:2.6:resources (default-resources) @ spring ---
[WARNING] Using platform encoding (MS949 actually) to copy filtered resources, i.e. build is platform dep
[INFO] Copying 1 resource
[INFO]
[INFO] --- maven-compiler-plugin:2.5.1:compile (default-compile) @ spring ---
[INFO] Nothing to compile - all classes are up to date
[INFO]
[INFO] ------------------------------------------------------------------------
[INFO] BUILD SUCCESS
[INFO] ------------------------------------------------------------------------
[INFO] Total time:  3.327 s
[INFO] Finished at: 2023-09-18T10:31:07+09:00
[INFO] ------------------------------------------------------------------------
```

1. `pom.xml` 콘솔창에 Build Success 가 보여지면 성공입니다.

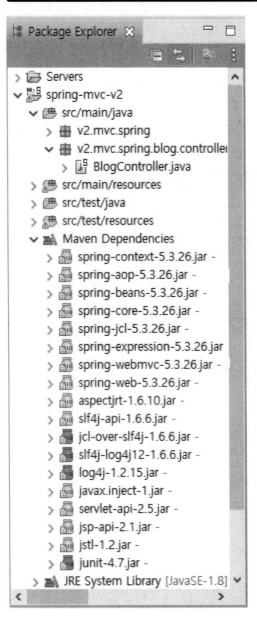

1. 패키지 탐색기 의 Maven Dependencies 항목을 펼쳐보면 `po m.xml` 파일의 `dependency` 에 기술된 라이브러리들이 있는 것을 볼 수 있습니다.

가만히 살펴보면 `spring-aop` 처럼 우리가 `pom.xml` 파일에 기술하지 않은 라이브러리들도 있는 것을 알 수 있습니다. 이것은 메이븐이 라이브러리 실행에 필요한 의존성도 함께 다운로드하기 때문입니다.

예를 들어 `spring-context` 라이브러리가 동작하기 위해 `spring-aop` 의존성이 필요하다면, `spring-context` 만 `pom .xml` 파일에 기술해도 `spring-aop` 도 함께 다운로드된다는 의미입니다.

03.09. 톰캣 다운로드 및 설치

03.09.01. 톰캣 다운로드 및 설치 개요

톰캣(tomcat)을 다운로드하고 설치해 보겠습니다.

톰캣은 자바로 된 웹 어플리케이션을 실행할 수 있는 웹서버입니다. 흔히들 WAS(Web Application Server) 라고 부릅니다.
톰캣은 스프링 MVC를 이용해 만든 프로그램을 실행시켜주는 역할을 합니다. 조금 더 구체적으로 말하면 웹 요청을 받아서 우리가 만든 프로그램을 실행하고 프로그램의 실행 결과를 웹 응답으로 내보내는 역할을 합니다.
어려우시다면 웹 어플리케이션을 실행할 때는 WAS 가 필요하고, 톰캣은 WAS 중 하나다 정도만 기억해 주세요.

03.09.02. 서버 추가 메뉴 진입

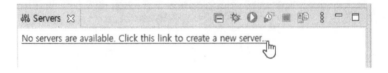

1. STS 왼쪽 아래에 보시면 Servers 탭이 있습니다. 아직 서버가 설정되어 있지 않다면 No Servers are available 메시지가 보입니다.
2. No Servers are available 메시지를 클릭해 주세요.

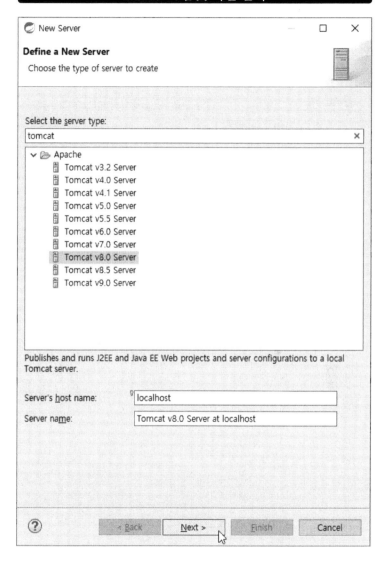

1. 새로운 서버를 설정하는 Define a New Server 화면이 보여집
   니다.

2. 검색창에 Tomcat을 검색합니다.
3. Tomcat v8.0 Server 를 선택합니다.

현재 톰캣은 11버전(Alpha)까지 나와있고, 자바 8을 지원하는 버전도 10.0 까지 나와있습니다. 그렇지만 STS 3에서 다른 절차 없이 곧바로 다운로드하고 설치하는 것을 지원하는 마지막 톰캣 버전이 8이기 때문에 톰캣 8버전을 사용하겠습니다.
우리가 이번 책에서 개발하고자 하는 범위 내에서는 톰캣 8 버전으로도 충분합니다.

03.09.04. New Server 화면

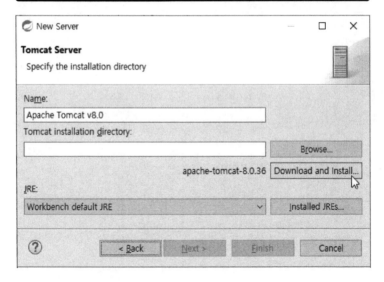

1. New Server 화면이 보여집니다.
2. Download And Install 버튼을 클릭합니다.

1. 톰캣을 다운로드하고 설치하는 Download And Install 화면이 보여집니다.
2. Finish 버튼을 클릭합니다.

03.09.06. 톰캣 다운로드 폴더 지정

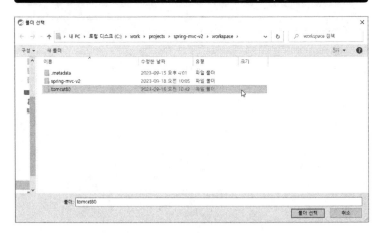

1. workspace 폴더 아래에 tomcat80 폴더를 생성합니다.
2. tomcat80 폴더를 선택합니다.
3. 폴더 선택 버튼을 클릭합니다.

톰캣을 다운로드할 폴더를 지정합니다.
폴더 위치나 이름은 어디여도 상관없습니다. 저는 관리의 용이성을 위
해 {프로젝트 폴더}/workspace/tomcat80 폴더에 설정했습니다.

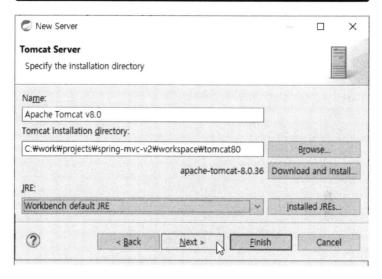

1. 다시 New Server 화면이 보여집니다.
2. `Tomcat Installation directory` 에 우리가 설정한 톰캣 경로가 지정되어 있는지 확인하세요.
3. Next 버튼을 클릭합니다.

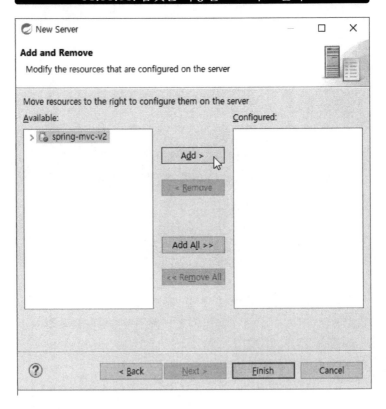

1. 톰캣을 사용할 프로젝트를 선택하는 화면으로 바뀝니다.
2. 왼쪽 Available 에서 `spring-mvc-v2` 를 선택하세요.
3. 가운데 Add 버튼을 클릭합니다.

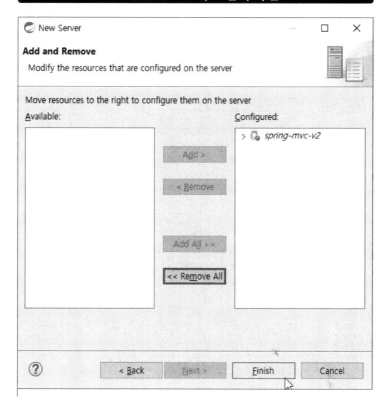

1. spring-mvc-v2 프로젝트가 오른쪽 Configured 로 이동했는
   지 확인합니다.
2. finish 버튼을 클릭합니다.

03.09.10. Servers 탭 확인

1. 자동으로 팝업 메뉴가 닫힙니다.
2. 오른쪽 아래 Servers 탭에 Tomcat 서버가 있는지 확인해 주세
   요.

03.10. 톰캣 타임아웃 설정

03.10.01. 톰캣 타임아웃 설정 개요

톰캣의 타임아웃을 설정합니다.

타임아웃(timeout)은 서버가 시작될 때 몇 초 내에 시작이 안 되면 서버 시작 실패라고 간주하는지 설정하는 것입니다. 프로젝트가 규모가 클 경우 시작되는 시간이 오래걸리므로 여유있게 120초(2분)으로 설정해 보겠습니다.

03.10.02. Tomcat 서버 더블클릭

1. Servers 탭의 Tomcat 서버를 더블클릭합니다.

03.10.03. 서버 설정 화면

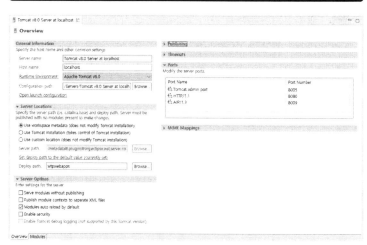

1. 서버 설정 화면이 편집기에 보여집니다.
2. Overview 하단탭이 선택되어 있는지 확인합니다.

03.10.04. Timeouts 값 변경

▶ Publishing

▼ Timeouts
Specify the time limit to complete server operations.
Start (in seconds):   120
Stop (in seconds): 15

1. Overview 하단탭이 선택되어 있는 것을 확인합니다.
2. Timeouts 항목을 엽니다. 오른쪽 위에서 두번째에 있습니다.
3. Timeouts 탭의 값을 120으로 변경합니다. PC 사양이 낮을 경
   우 더 늘려도 관계없습니다.

03.10.05. 변경 저장

▤ *Tomcat v8.0 Server at localhost ⊠

1. 변경이 완료되었다면 저장하는 것을 잊지 마세요. 서버 이름 T
   omcat v8.0 왼쪽에 * 표시가 있다면 변경이 완료되지 않은
   것입니다.
2. `ctrl + s` 단축키로 저장합니다.

03.10.06. 저장 완료

▤ Tomcat v8.0 Server at localhost ⊠

1. 저장이 완료되어 서버 이름 왼쪽에 * 표시가 사라진 것을 확
   인합니다.

03.11. 톰캣 웹 경로 설정

03.11.01. 톰캣 웹 경로 설정 개요

톰캣의 웹 경로를 설정하겠습니다.

웹 경로는 톰캣이 실행되는 웹 루트 디렉터리를 말합니다.
STS에서 프로젝트에 톰캣을 연동하면 `/{프로젝트 이름 첫번째 구분자}` 형식을 기본값으로 연동합니다. 우리 프로젝트의 경우 프로젝트 이름이 `spring-mvc-v2` 이므로 웹 주소가 `/spring` 으로 시작하게 되는 거에요.
하지만 대부분의 웹사이트는 `/` 경로부터 시작하므로 `/{프로젝트 이름}` 웹 경로를 최상위 경로인 `/` 로 바꿔보겠습니다.

03.11.02. Tomcat 서버 더블클릭

1. Servers 탭의 Tomcat 서버를 더블클릭해서 서버 설정으로 들어갑니다.

03.11.03. Modules 탭 이동

1. 하단의 서브탭 중 Modules 탭으로 이동합니다.

1. 기본 경로가 설정되어 있는 것을 확인합니다.
2. 프로젝트를 선택합니다.
3. edit 버튼을 클릭합니다.

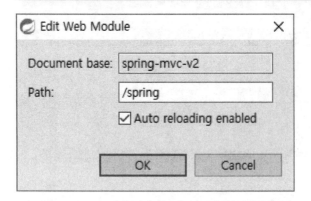

1. 경로 수정 창이 보여집니다. Path 항목이 `/spring` 인 것을 확
   인할 수 있습니다.

03.11.06. Path 변경

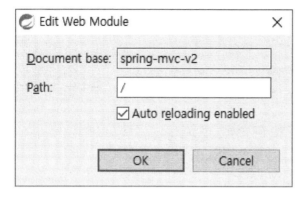

1. path 항목을 / 로 변경합니다.
2. OK 버튼을 클릭합니다.

03.11.07. Path 변경 확인

1. path가 /spring 에서 / 로 바뀌었는지 확인합니다.

03.11.08. 저장

Tomcat v8.0 Server at localhost

1. 저장도 잊지 마세요. ctrl + s 입니다.

03.12. 인코딩 필터 설정

인코딩 필터는 브라우저에서 보내는 요청과 응답을 모두 UTF-8 로 고정하기 위해 설정합니다. 인코딩 필터를 설정하지 않으면 한글이 정상적으로 보이지 않게 됩니다.

인코딩은 문자열을 표기하는 규칙입니다. 컴퓨터는 이진수밖에 이해할 수 없기 때문에 특정 이진수 조합이 어떤 글자를 나타내는지 미리 약속해 놓은 것이 인코딩입니다.

UTF-8 은 인코딩 규칙 중 하나입니다. 현재 전세계에서 표준처럼 쓰이고 있습니다.

스프링에서 필터는 이름처럼 뭔가를 걸러내 주는 역할을 합니다. 인코딩 필터는 요청과 응답을 설정한 인코딩대로 바꿔줍니다.

지금 이해하기 어려우시다면 현재 사실상의 표준 인코딩은 UTF-8이고, 스프링 MVC에서 UTF-8을 사용하기 위해서는 인코딩 필터를 설정해야 한다.만 알고 계시면 됩니다.

03.12.02. web.xml 파일 선택

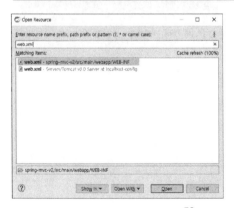

58

1. 리소스 열기 기능으로 `/src/main/webapp/WEB-INF` 폴더의 `web.xml` 파일을 선택합니다.
2. Open 버튼을 클릭합니다.

`web.xml` 파일이 2개가 나옵니다. `/src/main/webapp/WEB-INF/web.xml` 파일은 스프링 MVC의 설정 파일이고, `Servers` 로 시작하는 `web.xml` 은 톰캣의 설정 파일입니다.
우리는 톰캣이 아니라 프로젝트에서 인코딩 필터를 설정해야 하므로 위에 있는 `/src/main/webapp/WEB-INF/web.xml` 파일을 선택한 것입니다.

03.12.03. 소스탭 변경

```
31        </servlet-mapping>
32
33  </web-app>
34
```

Design | Source

1. 하단 탭 중 소스(source)탭으로 변경합니다.

59

```
 web.xml 33
19        <servlet-name>appServlet</servlet-name>
20        <servlet-class>org.springframework.web.servlet.DispatcherServlet</servlet-class>
21*       <init-param>
22            <param-name>contextConfigLocation</param-name>
23            <param-value>/WEB-INF/spring/appServlet/servlet-context.xml</param-value>
24        </init-param>
25        <load-on-startup>1</load-on-startup>
26    </servlet>
27
28*   <servlet-mapping>
29        <servlet-name>appServlet</servlet-name>
30        <url-pattern>/</url-pattern>
31    </servlet-mapping>
32
33*   <filter>
34        <filter-name>encodingFilter</filter-name>
35*       <filter-class>org.springframework.web.filter.CharacterEncodingFilter
36        </filter-class>
37*       <init-param>
38            <param-name>encoding</param-name>
39            <param-value>UTF-8</param-value>
40        </init-param>
41*       <init-param>
42            <param-name>forceEncoding</param-name>
43            <param-value>true</param-value>
44        </init-param>
45    </filter>
46*   <filter-mapping>
47        <filter-name>encodingFilter</filter-name>
48        <url-pattern>/*</url-pattern>
49    </filter-mapping>
50
51 </web-app>
52
Design  Source
```

src/main/webpp/WEB-INF/web.xml

```xml
<filter>
<filter-name>encodingFilter</filter-name>
<filter-class>org.springframework.web.filter.Char
acterEncodingFilter
</filter-class>
<init-param>
    <param-name>encoding</param-name>
    <param-value>UTF-8</param-value>
</init-param>
<init-param>
    <param-name>forceEncoding</param-name>
    <param-value>true</param-value>
  </init-param>
</filter>
```

```
<filter-mapping>
    <filter-name>encodingFilter</filter-name>
    <url-pattern>/*</url-pattern>
</filter-mapping>
```

1. 인코딩 필터를 추가합니다.

인코딩을 UTF-8 로 설정했습니다.

```
<init-param>
    <param-name>encoding</param-name>
    <param-value>UTF-8</param-value>
</init-param>
```

강제로 인코딩을 적용할 지 여부를 설정합니다. true 이므로 강제로 모든 요청과 응답에 인코딩 필터가 적용됩니다.

```
<init-param>
    <param-name>forceEncoding</param-name>
    <param-value>true</param-value>
</init-param>
```

필터의 이름을 encodingFilter 로 설정했습니다.

```
<filter-name>encodingFilter</filter-name>
```

필터가 적용되는 URL 규칙을 설정했습니다.

```
<url-pattern>/*</url-pattern>
```

`url-pattern` 이 `/*` 이므로 웹 주소가 `/` 로 시작하는 모든 경로에 필터가 적용됩니다.

03.13. STS 한글 인코딩 설정

03.13.01. STS 한글 인코딩 설정 개요

윈도우즈에서 STS를 사용한다면 기본 인코딩은 OS의 인코딩인 euc-kr 입니다.

웹 개발을 할 때는 대부분의 글자를 표현할 수 있는 UTF-8을 쓰는것이 사실상의 표준이므로 우리가 만드는 파일들의 인코딩도 UTF-8이어야 합니다. 따라서 STS의 기본 인코딩을 EUC-KR에서 UTF-8로 바꾸겠습니다.

03.13.02. 윈도우 프리퍼런스 선택

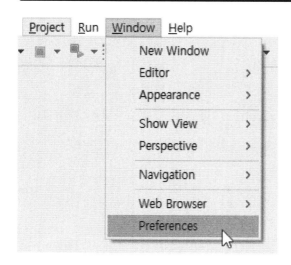

1. STS 메뉴에서 Window를 클릭합니다.
2. Preference를 선택합니다.

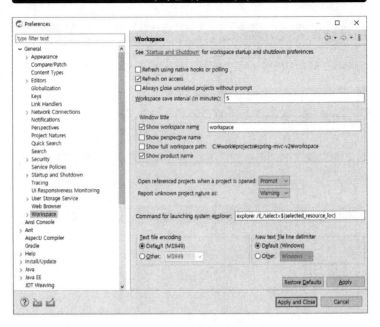

1. 왼쪽 네비게이션에서 General을 클릭합니다.
2. 하위 메뉴의 Workspace를 선택합니다.

03.13.04. 워크스페이스 기본 인코딩 변경

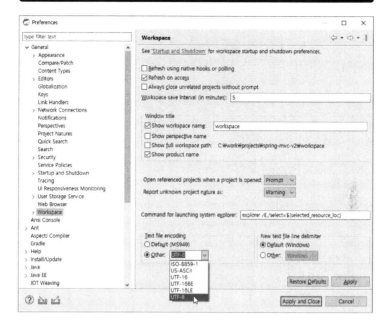

1. Text Encoding 항목을 Other로 선택합니다.
2. 콤보 박스를 UTF-8로 변경합니다.

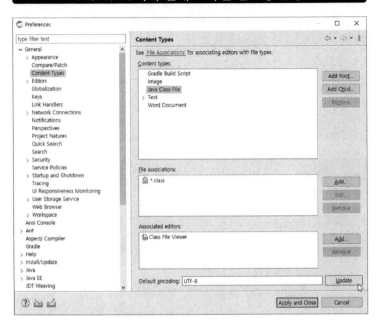

1. 왼쪽 네비게이션에서 General을 클릭합니다.

2. 하위 메뉴의 Content Types를 선택합니다.

3. Content Types 화면의 Java Class File을 선택합니다.

4. 아래의 Default Encoding 칸이 비어있을 꺼에요. UTF-8 로 입력합니다.

5. Update 버튼을 클릭합니다.

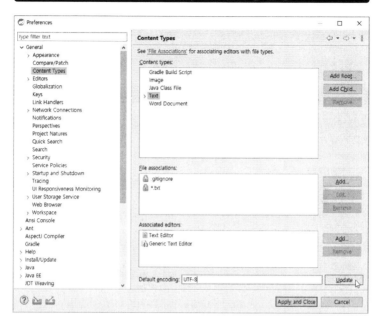

1. 왼쪽 네비게이션이 General인지 확인합니다.
2. 하위 메뉴의 Content Types가 선택되어 있는지 확인합니다.
3. Content Types 화면의 Text를 선택합니다.
4. 아래의 Default Encoding 칸이 비어있을 꺼에요. UTF-8 로 입력합니다.
5. Update 버튼을 클릭합니다.
6. Apply and Close를 클릭해서 설정 창을 닫습니다.

03.14. 톰캣 서버 실행

03.14.01. 톰캣 서버 실행 개요

톰캣 서버를 실행해서 설정이 잘 되었는지 확인해 보겠습니다.

03.14.02. 포트 번호 확인

▶ Publishing

▶ Timeouts

▼ Ports
Modify the server ports.

Port Name	Port Number
🔁 Tomcat admin port	8005
🔁 HTTP/1.1	8080
🔁 AJP/1.3	8009

▶ MIME Mappings

1. Servers 탭의 Tomcat을 더블클릭해서 서버 설정으로 들어갑니다.
2. 오른쪽의 Ports 항목을 펼쳐봅니다.
3. HTTP/1.1 항목의 숫자를 확인합니다. 8080 이라고 되어 있는지 확인합니다.

포트란 외부와 통신하는 통로를 말합니다.

인터넷을 통해서 외부와 통신하기 위해서 컴퓨터는 내부에 65,535개의 통로를 뚫어놨습니다. 그리고 외부와 통신해야 하는 프로그램마다 포트를 사용합니다.

예를 들어 일반적인 자바 개발 서버는 8080 포트를, MySQL 데이터베이스는 3306 포트를 사용하는 식입니다.

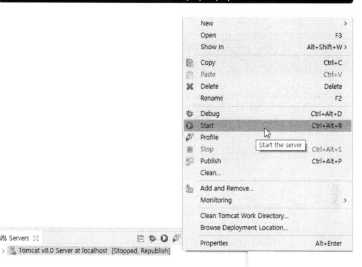

1. Servers 탭을 우클릭합니다.
2. 팝업 메뉴에서 Start를 클릭합니다.

혹은

1. 서버 바로 위의 초록 화살표를 클릭합니다.

03.14.04. 보안 경고

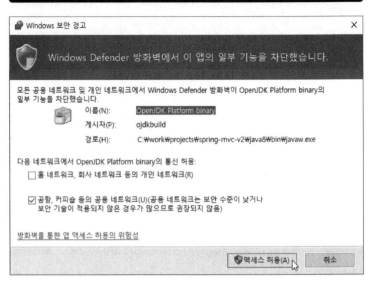

1. 보안 경고가 나온다면 액세스 허용을 클릭하세요.

03.14.05. 콘솔창 메시지 확인

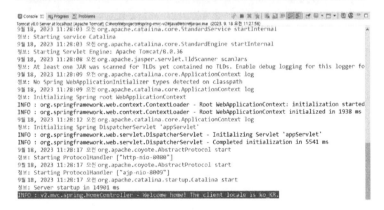

1. 콘솔창에 메시지가 출력됩니다. Welcome home! 메시지가 나
   오면 성공입니다.

03.14.06. 서버 탭 상태 메시지 확인

Servers ⊠

> Tomcat v8.0 Server at localhost [Started, Synchronized]

1. Servers 탭이 [Started, Syncronized] 로 바뀌었는지 확인합니
   다.

만약 서버가 정상적으로 시작되지 않는다면 포트 번호를 8081, 8082
등 다른 숫자로 변경해 보세요.

03.14.07. 브라우저에서 서버 동작 확인하기

Hello world!

The time on the server is 2023년 9월 18일 (월) 오전 11시 31분 25초.

1. 브라우저에서 http://localhost:8080/ 을 입력해 보세요.

웹 주소 `http://localhost:8080/` 대해 조금만 더 알아보겠
습니다.

- `http` : 통신 규약입니다. 프로토콜이라고도 부릅니
  다.
- `localhost` : 서버의 주소입니다. `localhost` 는 현
  재 컴퓨터를 가리킵니다.
- `8080` : 포트입니다.

71

즉 인터넷 접속 주소는 {프로토콜}://주소:포트 형식으로
구성됩니다.

03.14.08. 서버 종료

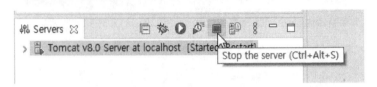

1. Servers 탭에서 Tomcat이 선택되어 있는지 확인합니다.
2. 서버 종료를 위해 빨간색 네모 상자를 누릅니다.

03.14.09. 서버 종료 확인

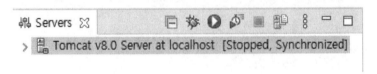

1. 서버가 종료되었는지 확인합니다. [Stopped] 메시지가 있으면
   정상 종료된 것입니다.

04. 블로그 컨텐츠 작성 화면 만들기

04.01. 블로그 패키지 생성

04.01.01. 블로그 패키지 생성 개요

블로그를 개발하기 위한 첫 단계, 블로그 패키지(blog package)를 생성합니다.

패키지는 간단하게 말하면 이름 공간(namespace) 입니다. 폴더라고 생각하시면 됩니다.

블로그 패키지는 `spring-mvc-v2` 프로젝트 내에서 도메인(업무)을 구분하는 패키지입니다.

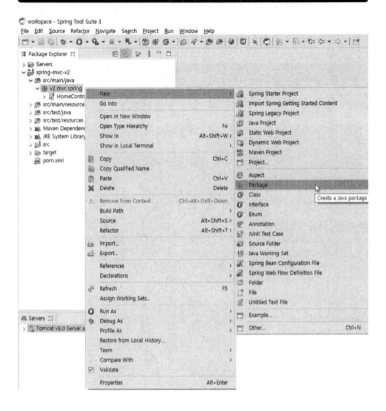

1. 패키지 탐색기 에서 `src/main/java` 를 펼칩니다.
2. `v2.mvc.spring` 항목을 우클릭합니다.
3. New를 선택합니다.
4. Package 를 선택합니다.

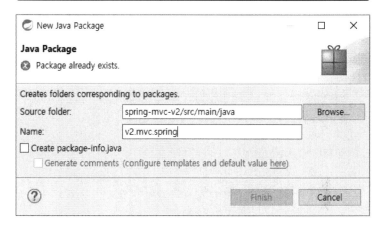

1. New Java Package 항목이 보여지는 것을 확인합니다.

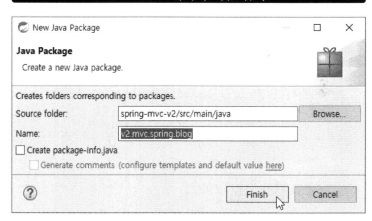

1. name 항목에 패키지 이름 오른쪽에 `.blog` 를 붙입니다. 전체
   패키지 이름은 `v2.mvc.spring.blog` 입니다.

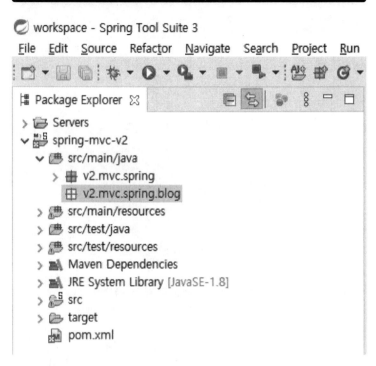

1. 패키지 탐색기 에서 `blog` 패키지가 생성된 것을 확인합니다.

04.02. 컨트롤러 패키지 생성

04.02.01. 컨트롤러 패키지 생성 개요

블로그 패키지 아래에 컨트롤러 패키지를 생성합니다.

실무에서는 흔히 {프로젝트}/{도메인}/{역할} 구조로 패키지를 생성합니다. 우리도 spring-mvc-v2/blog/controller 구조로 패키지를 생성하겠습니다.

04.02.02. 패키지 선택

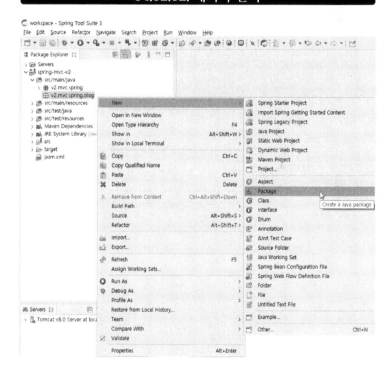

1. 패키지 탐색기에서 src/main/java 를 펼칩니다.
2. v2.mvc.spring.blog 항목을 우클릭합니다.
3. New를 선택합니다.

4. Package 를 선택합니다.

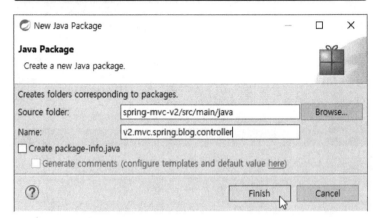

1. 패키지 이름을 `v2.mvc.spring.blog.controller` 로 입력합니다.

04.02.04. 패키지 생성 확인

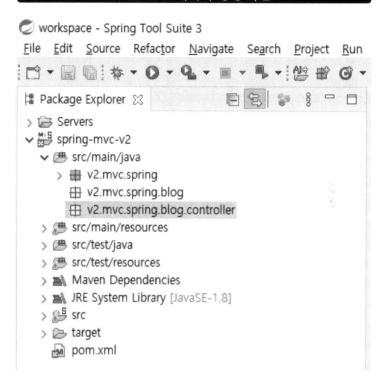

1. 패키지 탐색기에서 controller 패키지가 생성된 것을 확인 합니다.

04.03. 블로그 컨트롤러 클래스 생성

블로그 컨트롤러 클래스를 생성합니다.

컨트롤러는 MVC(Model View Controller) 구조에서 사용되는 용어로, 외부와 통신하는 클래스를 말합니다.

우리가 만들고 있는 블로그 프로젝트는 웹 어플리케이션을 만드는 프로젝트입니다. 웹 어플리케이션은 특정 주소의 요청을 받아들여서 응답을 만들어내죠.

이 때 특정 주소의 요청을 처리할 수 있는 방법이 필요한데요. 스프링 MVC 에서는 컨트롤러 클래스의 메서드를 통해 특정 주소의 요청을 처리하는 방식을 채택하고 있습니다.

간단하게 말하면 클라이언트(웹브라우저)에서 특정 주소를 입력했을 때 실행되는 메서드가 있는 클래스입니다.

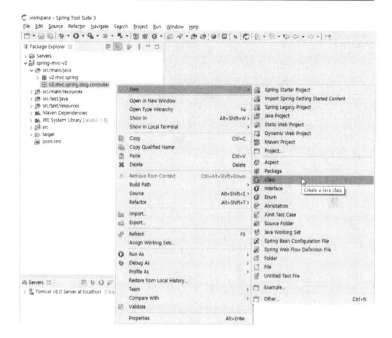

1. `v2.mvc.spring.blog.controller` 패키지를 우클릭합니다
2. New를 선택합니다.
3. Class를 클릭합니다.

04.03.03. 자바 클래스 생성 팝업

1. 자바 클래스 생성 팝업이 보여집니다.

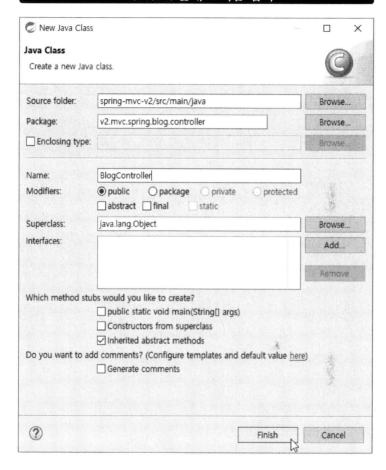

1. Name 란에 `BlogController` 를 입력해 주세요. 대소문자에 유의하셔야 합니다. `B` 와 `C` 가 대문자입니다.

자바에서 클래스 이름은 파스칼 케이스(Pascal Case) 라고 부르는 규칙을 따릅니다. 각 단어의 첫글자는 대문자로, 단어의 나머지 글자는 소문자로 표기하는 방법입니다. 따라서 `b` `log` 는 `Blog` 로, `controller` 는 `Controller` 로 표기합니다.

`Controller` 는 접미어입니다. 이 클래스가 컨트롤러라는 것을 한 눈에 알아보기 위해 관용적으로 사용됩니다.

04.03.05. 클래스 생성 확인

워크스페이스 - spring-mvc-v2/src/main/java/v2/mvc/spring/blog/controller/BlogController.java - Spring Tool Suite 3

```java
1 package v2.mvc.spring.blog.controller;
2
3 public class BlogController {
4
5 }
6
```

1. BlogController 클래스가 생성되었는지 확인합니다.

04.04. 클래스를 컨트롤러로 변경

04.04.01. 클래스를 컨트롤러로 변경 개요

자바 클래스를 컨트롤러로 만들어 보겠습니다.

클래스 이름이 `Controller` 로 끝난다고 자동으로 컨트롤러가 인식하는 것은 아닙니다. 스프링에서 컨트롤러를 인식할 수 있도록 코드를 바꿔보겠습니다.

04.04.02. 컨트롤러 어노테이션

`*BlogController.java`

```java
1  package v2.mvc.spring.blog.controller;
2
3  @Controller
4  public class BlogController {
5
6  }
7
```

```
/src/main/java/v2/mvc/spring/blog/controller/Blo
gController.java
@Controller
```

1. `BlogController.java` 클래스 정의 위에 `@Controller` 어노테이션을 붙입니다.

어노테이션이란 자바에서 사용하는 메타데이터입니다. `@` 으로 시작합니다.
스프링에서 클래스에 `@Controller` 어노테이션을 붙이면 스프링이 해당 클래스를 컨트롤러라고 인식하고 자바 빈(java bean)으로 관리하게 됩니다.

> 자바 빈이란, 프레임워크가 관리하는 클래스라고 이해하시
> 면 편합니다. 자바 빈으로 등록된 클래스는 개발자가 직접 클
> 래스를 관리하는 것이 아니라 프레임워크가 알아서 인스턴
> 스의 생성과 소멸을 관리하게 됩니다.

04.04.03. 어노테이션 오류 내용

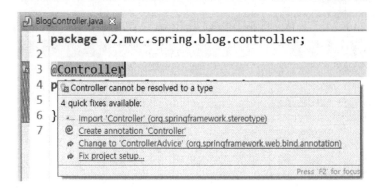

1. 마우스를 빨간 줄 위에 올려보세요.

`@Controller` 어노테이션 아래에 빨간 줄이 가 있습니다. 이것은 STS
가 오류가 있다고 표시해 준 것입니다. Controller cannot be resolve
d to a type 이라는 메시지가 보이네요.

Controller cannot be resolved to a type 메시지는 선언되지 않은
패키지의 타입이라서 어떤 기능인지 모르겠다는 의미입니다.

04.04.04. 자동 불러오기

```
BlogController.java ✕
1  package v2.mvc.spring.blog.controller;
2
3  @Controller
4  p  Controller cannot be resolved to a type
5     4 quick fixes available:
6  }     Import 'Controller' (org.springframework.stereotype)
7     @  Create annotation 'Controller'
          Change to 'ControllerAdvice' (org.springframework.web.bind.annotation)
          Fix project setup...
```

1. 첫번째 항목인 import 'Controller' (org.springframework.stereot
ype)를 클릭합니다.

STS에서는 해결 방법도 제시해 줍니다.

04.04.05. 자동 불러오기 확인

```
BlogController.java ✕
1  package v2.mvc.spring.blog.controller;
2
3  import org.springframework.stereotype.Controller;
4
5  @Controller
6  public class BlogController {
7
8  }
9
```

```
import org.springframework.stereotype.Controller;
```

1. 자동으로 @Controller 어노테이션의 패키지인 org.springf
ramework.stereotype.Controller 를 불러왔습니다.

04.05. 블로그 컨텐츠 작성 화면 메서드 작성

04.05.01. 블로그 컨텐츠 작성 화면 메서드 작성 개요

브라우저에서 /create 주소가 입력되었을 때 실행되는 자바 컨트롤러 메서드를 작성해 보겠습니다.

04.05.02. create 메서드 추가

```java
BlogController.java
 1  package v2.mvc.spring.blog.controller;
 2
 3  import org.springframework.stereotype.Controller;
 4
 5  @Controller
 6  public class BlogController {
 7      public String create() {
 8          return "blog/create";
 9      }
10  }
11
```

```
/src/main/java/v2/mvc/spring/blog/controller/Blo
gController.java
public String create() {
    return "blog/create";
}
```

1. 블로그 컨트롤러에 create 메서드를 추가해 주세요. 직접 입력하셔야 합니다.

메서드의 반환 타입이 String 입니다. 문자열이죠.

```
public String create() {
```

스프링의 기본값은 컨트롤러 메서드가 String 타입을 반환할 경우

뷰의 경로라고 생각합니다. 그래서 프레임워크는 `book/create` 경로
의 뷰를 찾는 것을 시도합니다.

```
return "blog/create";
```

04.05.03. 콘텐트 어시스트

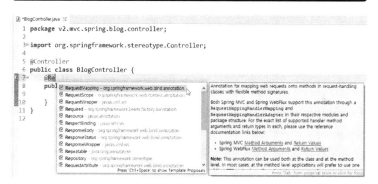

1. `create` 메서드 위에 `@Re` 까지만 입력합니다.
2. `ctrl + space` 키를 클릭합니다.
3. STS가 제안해 준 팝업에 `RequestMapping` 이 반전되어 있는지
   확인합니다.
4. 엔터를 누릅니다.

코드 일부만 입력해도 적당한 컨텐츠를 찾아주는 기능을 콘텐트 어시
스트 (content assist - 자동완성) 라고 부릅니다.

04.05.04. 자동 생성 확인

```java
 *BlogController.java ⊠
 1 package v2.mvc.spring.blog.controller;
 2
 3 import org.springframework.stereotype.Controller;
 4 import org.springframework.web.bind.annotation.RequestMapping;
 5
 6 @Controller
 7 public class BlogController {
 8     @RequestMapping
 9     public String create() {
10         return "blog/create";
11     }
12 }
13
```

1. 자동으로 STS가 `@RequestMapping` 을 완성해주고, `import` 구문까지 만들어 준 코드를 확인합니다.

```
import org.springframework.web.bind.annotation.Req
uestMapping;
@RequestMapping
```

`@RequestMapping` 어노테이션을 메서드에 붙이면 컨트롤러 클래스의 메서드 중 웹 요청을 처리하는 메서드라는 것을 가리키게 됩니다.

```
📄 BlogController.java ⅔
 1  package v2.mvc.spring.blog.controller;
 2
 3⊕ import org.springframework.stereotype.Controller;
 4  import org.springframework.web.bind.annotation.RequestMapping;
 5
 6  @Controller
 7  public class BlogController {
 8⊕     @RequestMapping(value="/create")
 9      public String create() {
10          return "blog/create";
11      }
12  }
13
```

1. @RequestMapping 속성 오른쪽에 (value="/create") 코드
   를 덧붙입니다.

- -

@RequestMapping 어노테이션의 value 속성은 "웹 주소"를 나타냅니
다.
이제 브라우저에서 /create 주소를 서버에 요청하면, BlogController
.java 클래스의 create 메서드가 실행됩니다.

1. value="/create" 코드 오른쪽으로 method 를 입력합니다.
2. 잠시 기다리면 STS에서 자동으로 몇가지를 추천해 줄 텐데요.

커서키를 아래로 내려서 method 항목으로 이동해 봅니다.

3. Method 의 타입이 RequestMethod 의 배열이라는 것을 알 수 있습니다.

04.05.07. method 패키지 불러오기

1. method = Request 까지 입력합니다.

2. 자동 완성 추천 항목이 RequestMethod 로 반전되어 있는지 확인합니다.

3. ctrl + space 를 눌러서 RequestMethod 패키지를 불러옵니다.

RequestMethod 의 설명을 보면 열거형 타입(Enumeration) 이라는 것을 알 수 있습니다.

```
BlogController.java 32
1 package v2.mvc.spring.blog.controller;
2
3 import org.springframework.stereotype.Controller;
4 import org.springframework.web.bind.annotation.RequestMapping;
5 import org.springframework.web.bind.annotation.RequestMethod;
6
7 @Controller
8 public class BlogController {
9     @RequestMapping(value="/create", method = RequestMethod.G)
10    public String create() {
11        return "blog/create";
12    }
13 }
```
```
BindingResult - org.springframework.validation
GET - RequestMethod - RequestMethod
```

1. RequestMethod 오른쪽에 .G 라고 입력합니다.
2. 잠시 기다리거나 ctrl + space 를 눌러서 자동 완성을 불러옵니다.
3. GET 을 선택합니다.

GET 은 HTTP 요청 메서드 중 하나로, 데이터를 조회할 때 사용합니다.

> HTTP는 우리가 웹에서 사용하는 데이터 교환 방식(프로토콜) 입니다.
>
> 메서드(method) 는 데이터를 다루는 방법을 말합니다.
>
> HTTP 메서드는 GET 이외에도 POST , PUT , DELETE 등 여러가지가 있습니다.
> GET 은 데이터 조회, POST 는 데이터 생성, PUT 은 데이터 수정, DELETE 는 데이터 삭제 입니다.
>
> 웹 브라우저의 경우 HTTP 메서드가 특정되지 않으면 기본값이 GET 입니다.

04.06. 블로그 컨텐츠 작성 화면 뷰 파일 생성

04.06.01. 블로그 컨텐츠 작성 화면 뷰 파일 생성 개요

블로그 컨텐츠 작성 화면 뷰 파일을 만들어 보겠습니다.

MVC 에서 뷰(view)란 사용자가 보는 화면을 말합니다.
우리는 웹 어플리케이션을 만들고 있기 때문에 화면은 HTML(Hyper T
ext Markup Language)로 작성합니다.

04.06.02. 뷰 경로 확인하기

```
 7  @Controller
 8  public class BlogController {
 9      @RequestMapping(value="/create", method = RequestMethod.GET)
10      public String create() {
11          return "blog/create";
12      }
13  }
14
```

/src/main/java/v2/mvc/spring/blog/controller/Blo
gController.java

```
public String create() {
    return "blog/create";
}
```

1. 블로그 컨트롤러 파일을 엽니다.
2. 블로그 컨텐츠 작성 뷰 메서드가 반환한 경로가 /blog/creat
   e 인 것을 확인합니다.

04.06.03. 링크 위드 에디터 기능 활성화

1. 패키지 탐색기 오른쪽에 보면 노란색 양쪽 화살표(<-->) 를 클

릭합니다.

2. 반전되어 있는지 확인합니다.

- -

링크 위드 에디터는 파일을 편집할 때 자동으로 패키지 탐색기가 그 위치를 가리키는 기능을 말합니다.

만약 링크 위드 에디터가 비활성화 상태라면 내가 어떤 파일을 수정하든 패키지 탐색기는 아무런 변화가 없이 마지막으로 선택한 파일을 가리키게 됩니다.

04.06.04. home.jsp 열기

1. `ctrl + shift + r` 키로 리소스 열기 창을 엽니다.
2. `home.jsp` 를 검색합니다.

- -

`home.jsp` 는 처음에 프로젝트를 생성할 때 자동으로 만들어 준 샘플 뷰 파일입니다.

04.06.05. `home.jsp` 폴더 확인하기

1. `home.jsp` 파일 경로가 `src/main/webapp/WEB-INF/views` 폴더 아래 있는 것을 확인합니다.

뷰 경로가 어디인지 확인하기 위해 기존의 뷰 파일을 열었습니다.

04.06.06. 새 JSP 파일 생성 메뉴 진입

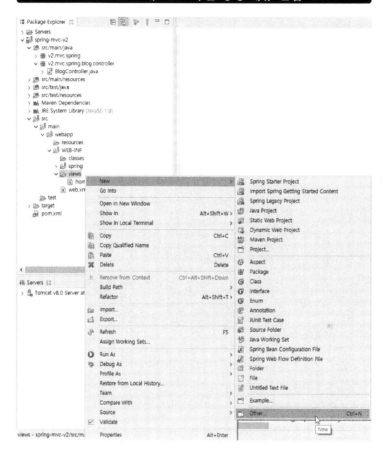

1. 패키지 탐색기에서 `src/main/webapp/WEB-INF/views` 폴더를 우클릭합니다.
2. new를 선택합니다.
3. Other 를 선택합니다.

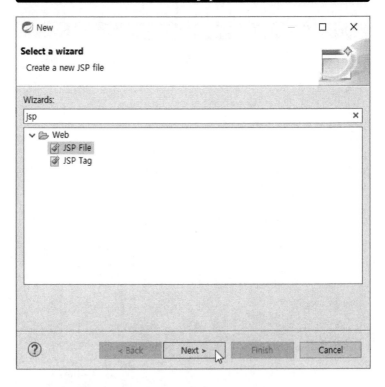

1. 신규 파일을 생성하는 new wizard 화면이 보입니다.

2. jsp를 검색합니다.

3. JSP File을 선택하고 Next 버튼을 클릭합니다.

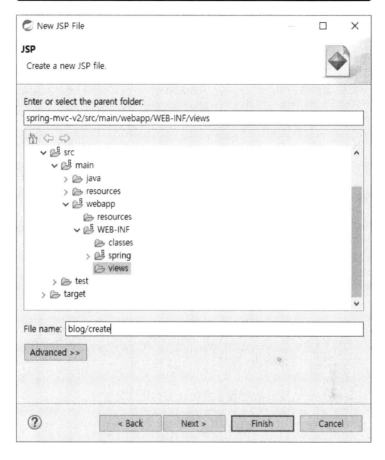

1. jsp 파일을 생성할 폴더를 확인합니다. 기존 경로인 `src/main/`
   `webapp/WEB-INF/views` 폴더가 선택되어 있습니다.
2. File name 란에 `blog/create` 를 입력합니다.
3. Finish 버튼을 클릭합니다.

- -

파일 경로에 `/` 가 들어가면 서브 폴더 혹은 파일을 말합니다.

부모 경로가 `src/main/webapp/WEB-INF/views` 이고 파일 이름을 `blog/create` 로 입력했으므로 최종 경로는 `src/main/webapp/WEB-INF/views/` + `blog/create` + `.jsp` = `src/main/webapp/WEB-INF/views/blog/create.jsp` 가 됩니다.

04.06.09. jsp 파일 생성 확인

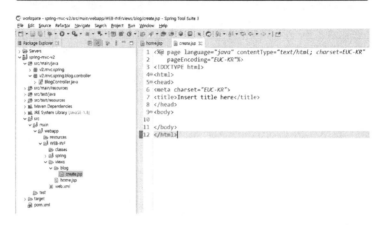

1. jsp 파일이 `src/main/webapp/WEB-INF/views/blog/create.jsp` 경로에 생성되었는지 확인합니다.

`create.jsp` 파일의 기본 틀은 STS가 자동으로 만들어주었습니다.

04.06.10. 브라우저에서 확인하기

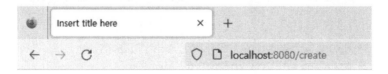

브라우저에서 확인해 보겠습니다.

1. 브라우저에서 http://localhost:8080/create 를 입력합니다.
2. 제목이 Insert title here 인 것을 확인합니다.

04.06.11. 화면이 보여지는 과정 이해해 보기

1. 브라우저에서 `/create` 주소를 입력합니다.
2. 톰캣은 브라우저의 요청을 받아서 스프링으로 전달합니다.
3. 스프링은 `/create` 웹주소에 해당하는 `BlogController` 의 `create` 메서드를 찾아서 실행시킵니다.
4. `create` 메서드는 반환값인 `/blog/create` 값을 보고 뷰 주소를 찾습니다.
5. 스프링은 뷰의 결과를 톰캣에 응답합니다.
6. 톰캣은 스프링에서 보내준 값을 브라우저로 다시 보내줍니다.
7. 브라우저는 스프링이 보내준 뷰의 결과 HTML을 그려줍니다.

04.07. 컨텐츠 작성 화면 뷰 파일 변경

04.07.01. 컨텐츠 작성 화면 뷰 파일 변경 개요

STS가 자동으로 만들어 준 컨텐츠 작성화면 뷰를 수정해서 블로그 글
쓰기 화면으로 바꿔보겠습니다.

04.07.02. 페이지 인코딩 변경

```
create.jsp
1 <%@ page language="java" contentType="text/html; charset=UTF-8"
2     pageEncoding="UTF-8"%>
3 <!DOCTYPE html>
4 <html>
```

/src/main/webapp/WEB-INF/views/blog/create.jsp

```
<%@ page language="java" contentType="text/html; c
harset=UTF-8"
    pageEncoding="UTF-8"%>
```

1. `charset=EUC-KR` 이라고 적혀있는 부분을 `charset=UTF-8` 로
   바꿉니다.
2. `pageEncoding="EUC-KR"` 로 되어 있는 부분을 `pageEncoding`
   `="UTF-8"` 로 변경합니다.

자동으로 생성된 `create.jsp` 파일은 다음과 같이 인코딩이 `EUC-KR`
로 되어 있습니다.

```
<%@ page language="java" contentType="text/html; c
harset=EUC-KR"
    pageEncoding="EUC-KR"%>
```

우리는 UTF-8을 사용하기로 했으므로, 인코딩을 UTF-8로 변경합니다.

```
<%@ page language="java" contentType="text/html; c
harset=UTF-8"
    pageEncoding="UTF-8"%>
```

`<%@ page` 는 JSP 에서 페이지 디렉티브(page directive) 라고 부르며
, JSP 뷰 엔진의 설정을 담당합니다.

즉 서버의 설정에 영향을 미치는 태그입니다.

따라서 페이지 디렉티브의 인코딩을 변경하면, 서버가 응답할 때 UTF-
8 인코딩으로 응답한다는 의미가 됩니다.

04.07.03. HTML 인코딩 변경

```
create.jsp ⊠
1  <%@ page language="java" contentType="text/html; charset=UTF-8"
2      pageEncoding="UTF-8"%>
3  <!DOCTYPE html>
4⊕ <html>
5⊕ <head>
6  <meta charset="UTF-8">
```

/src/main/webapp/WEB-INF/views/blog/create.jsp
```
<meta charset="UTF-8">
```

1. `<meta charset="EUC-KR">` 코드를 `<meta charset="UTF-
8">` 로 변경합니다.

`meta` 태그는 HTML의 태그입니다. 바꿔 말하면 서버의 설정에는 어
떠한 영향도 주지 않습니다.

대신 브라우저는 `meta charset` 태그를 보고 페이지의 인코딩을 결정
합니다.

그러므로 `meta` 태그는 클라이언트(브라우저)에 영향을 미치는 태그
입니다.

04.07.04. 페이지 제목 변경

7 `<title>블로그 컨텐츠 쓰기</title>`

/src/main/webapp/WEB-INF/views/blog/create.jsp
```
<title>블로그 컨텐츠 쓰기</title>
```

1. `<title>Insert title here</title>` 을 찾습니다.
2. "Insert title here" 를 삭제하고 "블로그 컨텐츠 쓰기"를 입력합니다.

HTML 페이지의 제목을 "Insert title here" 에서 "블로그 컨텐츠 쓰기" 로 변경합니다.

04.07.05. 페이지 제목 변경 확인

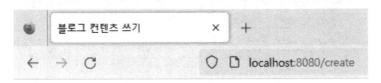

1. 톰캣이 시작되어 있는지 확인합니다. 시작되어 있지 않다면 시작합니다.
2. 브라우저에서 http://localhost:8080/create 를 입력합니다.
3. 제목이 블로그 컨텐츠 쓰기로 변경되었는지 확인합니다.

```
 7 <title>블로그 컨텐츠 쓰기</title>
 8 </head>
 9⊖ <body>
10        컨텐츠 제목 :
11 </body>
12 </html>
```

1. `<body>` 태그와 `</body>` 태그 사이에 컨텐츠 제목 : 이라는 글자를 넣습니다.

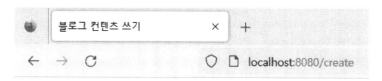

블로그 컨텐츠 쓰기   ×   +

← → C   ○ ▢ localhost:8080/create

컨텐츠 제목 :

1. 브라우저에서 http://localhost:8080/create 를 입력합니다.
2. "컨텐츠 제목 :" 글자가 보이는지 확인합니다.

```
 9⊖ <body>
10        컨텐츠 제목 :
11        <input type='text' name='title' style='width:80%' />
12 </body>
13 </html>
```

```
<input type='text' name='title' style='width:80%'
/>
```

105

1. 컨텐츠 제목 : 아래줄에 태그를 입력합니다.

컨텐츠의 제목을 입력받을 수 있는 입력 상자를 만들어 보겠습니다.

`input` 태그는 사용자 입력을 받는 태그입니다.

```
<input
```

`input` 태그의 `type` 이 `text` 라면 일반적인 문자열을 입력받는 태그가 됩니다.

```
type='text'
```

`name` 속성은 서버에서 식별할 수 있는 키 역할을 합니다. 여러 입력 필드 중에서 어떤 항목인지 구분하는 것입니다.

```
name='title'
```

`style` 속성은 인라인 스타일이라고 부릅니다. html을 꾸며주는 역할을 합니다.

```
style=
```

일반적으로 HTML을 꾸며주는 역할을 하는 css는 별도로 분리하기 마련이지만, 간단하게 태그에 `style` 속성으로 HTML을 꾸며줄 수도 있습니다.

`width` 는 스타일 중 넓이를 나타냅니다.

`width:80%`

`width:80%` 라고 작성하면 전체 화면 길이 중 80% 라는 뜻입니다.

04.07.09. 컨텐츠 제목 입력 태그 확인

1. 브라우저에서 http://localhost:8080/create 를 입력합니다.
2. "컨텐츠 제목 :" 글자 옆에 텍스트 입력 상자가 있는지 확인합니다.

HTML에 "컨텐츠 제목 :" 글자와 `<input type='text'` 태그 사이에 줄바꿈이 있는데도 한 줄로 보이는 이유는, HTML은 줄바꿈 문자를 인식하지 않기 때문입니다.

```
컨텐츠 제목 :
<input type='text' name='title' style='width:80%'
/>
```

브라우저에서 줄바꿈을 보여주려면 `<br />` 혹은 `<p>`, `<div>` 태그 등을 통해서 줄을 바꿔야 합니다.

04.07.10. P 태그 감싸기

```
 9  <body>
10      <p>
11          컨텐츠 제목 :
12          <input type='text' name='title' style='width:80%' />
13      </p>
14 </body>
```

/src/main/webapp/WEB-INF/views/blog/create.jsp

```
<p>
    컨텐츠 제목 :
    <input type='text' name='title' style='width:8
0%' />
</p>
```

1. "컨텐츠 제목 :" 윗줄에 `<p>` 를 입력합니다.
2. `<input type='text'` 아랫줄에 `<p>` 를 입력합니다.
3. 위 화면처럼 들여쓰기를 합니다.

우리가 이제까지 입력한 태그들을 `p` 태그로 감쌉니다. `p` 태그로 감싸는 이유는 HTML에서 컨텐츠 제목 입력 후 줄을 바꾸기 위해서입니다.

`p` 태그는 paragraph 의 약자로, 문단이라는 뜻입니다. 우리가 글쓰기에서 문단을 바꿀 때 줄이 바뀌는 것처럼 HTML에서도 하나의 문단이 끝나면 줄을 바꾸도록 약속되어 있습니다.

들여쓰기는 필수가 아닙니다. HTML은 들여쓰기에 전혀 영향을 받지 않습니다.
다만 들여쓰기가 엉망이면 사람이 읽기 힘드므로, 사람이 쉽게 읽게 하

108

기 위해서 들여쓰기를 해 주는 것입니다.

여러 줄을 한번에 들여쓰기하려면 여러 줄 선택 후 탭(tab) 키를 누르
시면 됩니다.

```
10    <p>
11    컨텐츠 제목 :|
12    <input type='text' name='title' style='width:80%' />
13    </p>
```

11번 줄에 커서를 위치합니다.

```
10    <p>
11    컨텐츠 제목 :
12    <input type='text' name='title' style='width:80%' />
13    </p>
```

홈(home)버튼을 눌러 11번 줄 가장 왼쪽으로 커서가 오도록 합니다.

```
10    <p>
11    컨텐츠 제목 :
12    <input type='text' name='title' style='width:80%' />
13    </p>
```

shift 키를 누르고 아래 화살표 키를 클릭합니다. 11번 줄에 있는 모든
항목이 선택된 채 화살표는 12번 줄로 이동합니다.

```
10    <p>
11    컨텐츠 제목 :
12    <input type='text' name='title' style='width:80%' />
13    </p>
```

shift 키를 누른 채로 엔드(End) 키를 눌러서 커서가 12번 줄 가장 오른
쪽으로 오도록 합니다. 11번 줄과 12번 줄이 모두 선택된 상태가 됩니
다.

```
10    <p>
11    컨텐츠 제목 :
12    <input type='text' name='title' style='width:80%' />
13    </p>
```

5. 탭(tab) 키를 눌러서 전체 항목을 오른쪽으로 들여쓰기합니다.

04.07.11. P 태그 감싸기 확인

1. 브라우저에서 http://localhost:8080/create 를 입력합니다.

특별히 눈에 띄는 변화는 없습니다. 정상입니다.

04.07.12. 본문 글자 영역 추가

```
 9⊖ <body>
10⊖    <p>
11          컨텐츠 제목 :
12          <input type='text' name='title' style='width:80%' />
13      </p>
14⊖    <p>
15          본문
16      </p>
17 </body>
18 </html>
```

```
<p>
    본문
</p>
```

1. 제목 문단이 끝나는 `</p>` 태그 아래에 다시 문단을 만들고 "
본문" 글자를 입력합니다.

```
14⊖     <p>
15           본문
16      </p>
17⊖     <p>
18
19      </p>
```

```
<p>
      본문
</p>
<p>

</p>
```

1. 본문 글자 영역 아래에 다시 `<p>` `</p>` 영역을 만듭니다.

1. 본문 입력용 p 태그 아래에 `<text` 까지만 입력하고 `ctrl + s pace` 키를 누릅니다. STS가 자동 완성을 위한 제안을 해 줍니다.
2. 첫번째 항목 `<>` `textarea` 가 반전되어 있는지 확인하고 엔터 키를 누릅니다. 혹은 마우스로 첫번째 항목을 더블클릭해도 됩

111

니다.

STS의 자동완성이 제안한 목록을 선택하려면 위/아래 커서
키로 항목을 이동 후 엔터키로 선택하면 됩니다.

04.07.15. textarea 자동 완성 결과

```
14⊖    <p>
15          본문
16    </p>
17⊖    <p>
18          <textarea rows="" cols="">|</textarea>
19    </p>
```

1. STS가 자동으로 완성해 준 태그를 확인합니다.

`textarea` 태그는 여러 줄 입력을 위한 태그입니다. `input type='tex
t'` 태그가 한 줄 입력이었던 것에 비교됩니다.

04.07.16. textarea rows 속성

```
14⊖    <p>
15          본문
16    </p>
17⊖    <p>
18          <textarea rows="10" cols="">|</textarea>
19    </p>
```

`<textarea rows="10"`

1. `textarea` 태그의 `rows` 속성을 `""` 에서 `"10"` 으로 변경합
   니다.

`textarea` 태그의 `rows` 속성은 보여질 줄 수를 뜻합니다.

즉 `rows="10"` 속성은 10줄까지는 스크롤 없이 보여진다는 의미입니다.

실제로는 rows 속성과 관계없이 더 많은 줄을 입력할 수 있습니다.

04.07.17. textarea cols 삭제하고 name 속성 넣기

```
17    <p>
18        <textarea rows="10" name="content_body"></textarea>
19    </p>
```

`<textarea rows="10" name="content_body"`

1. `cols` 속성을 삭제합니다.
2. `name` 속성을 content_body 로 입력합니다.

`cols` 속성은 몇 행을 입력할 수 있는지에 대한 속성입니다. 현대 HTML 에서는 대부분 넓이를 CSS로 제어하므로 거의 사용하지 않으므로 삭제합니다.

`name` 속성이 content_body 이므로, 서버에서 content_body 로 컨텐츠 본문을 읽을 수 있습니다.

04.07.18. textarea width 스타일

```
17    <p>
18        <textarea rows="10" name="content_body" style='width:100%'></textarea>
19    </p>
```

`style='width:100%'`

1. `textarea` 에 인라인 스타일로 넓이를 100% 로 채워넣습니다.

```
 9*<body>
 10      <form method="post">
 11*    <p>
 12        컨텐츠 제목 :
 13        <input type='text' name='title' style='width:80%' />
 14    </p>
 15*    <p>
 16        본문
 17    </p>
 18*    <p>
 19        <textarea rows="10" name="content_body" style='width:100%'></textarea>
 20    </p>
 21 </body>
 22 </html>
```

`<form method="post">`

1. `<body>` 태그 아래 줄에 form 태그를 추가합니다.

`<form>` 태그는 "양식" 이라는 뜻으로, 서버에 제출할 항목들을 묶어주는 역할을 합니다.

`<form`

`method="POST"` 는 서버에 데이터를 전송할 때 "POST" 형식으로 전송한다는 뜻입니다.

`method="post"`

POST 방식은 HTTP 설계에 의하면 "데이터의 생성"을 의미하는 메서드입니다만, 웹 브라우저는 GET 아니면 POST만

전송하는 경우가 많아서 실제로는 "데이터 생성, 수정, 삭제" 등 "조회"를 제외한 모든 경우에 사용됩니다.

POST 방식은 서버로 전송할 데이터를 HTTP Request Body 에 담아서 전송합니다. 따라서 서버로 전달할 매개변수(파라 미터)가 웹 주소(URL)에 노출되지 않습니다.
반면 GET 방식은 서버로 전송할 데이터가 URL에 추가되어 서버로 전송됩니다.

04.07.20. textarea 추가 확인

1. 브라우저에서 본문 글자와 `textarea` 태그가 잘 적용되었는지 확인합니다.

04.07.21. form 닫는 태그 추가

```
9  <body>
10     <form method="post">
11     <p>
12         컨텐츠 제목 :
13         <input type='text' name='title' style='width:80%' />
14     </p>
15     <p>
16         본문
17     </p>
18     <p>
19         <textarea rows="10" name="content_body" style='width:100%'></textarea>
20     </p>
21     </form>
22 </body>
```

`<form>`

1. `</body>` 태그 위에 `</form>` 태그를 닫아줍니다.

여는 태그가 있으면 닫는 태그가 있어야겠죠. HTML 의 태그는 한 쌍이
니까요.

> 일부 태그는 `<tag></tag>` 형식 대신 `<tag />` 형식으로 닫
> 기도 합니다. 대표적인 것이 `input` 태그입니다.

04.07.22. 들여쓰기 맞추기

```
 9  <body>
10      <form method="post">
11          <p>
12              컨텐츠 제목 :
13              <input type='text' name='title' style='width:80%' />
14          </p>
15          <p>
16              본문
17          </p>
18          <p>
19              <textarea rows="10" name="content_body" style='width:100%'></textarea>
20          </p>
21      </form>
```

1. `<form>` 태그의 하위 요소들도 들여쓰기를 맞춰주세요.

04.07.23. 제출 태그 추가하기

```
10      <form method="post">
11          <p>
12              컨텐츠 제목 :
13              <input type='text' name='title' style='width:80%' />
14          </p>
15          <p>
16              본문
17          </p>
18          <p>
19              <textarea rows="10" name="content_body" style='width:100%'></textarea>
20          </p>
21          <p>
22              <input type="submit" name="create" value="블로그 컨텐츠 쓰기" />
23          </p>
24      </form>
```

```
<p>
    <input type="submit" name="create" value="블로
그 컨텐츠 쓰기" />
</p>
```

1. `<form>` 태그 마지막에 제출 태그를 추가합니다.

이제까지 입력란들을 만들었으니, 입력란에 있는 값들을 서버로 전송할 수 있는 버튼을 만들겠습니다.

`<input type="submit"` 태그는 입력을 제출하는 태그입니다. 버튼이 보여집니다.

일반적인 `input` 태그는 `value` 속성에 입력값이 채워집니다만, `submit` 타입의 `input` 태그는 입력값 대신 버튼의 글자가 보여집니다.

버튼이 클릭되면, 버튼이 속한 `form` 안의 모든 값들이 서버로 전송됩니다.

> `form` 태그에서 서버로 전송하는 주소를 특정하지 않으면, 현재 URL이라고 가정합니다. 만약 서버로 전송하는 주소를 특정하고 싶다면 `form` 태그의 `action` 속성에 전송할 주소를 명시하면 됩니다.

04.07.24. 제출 태그 확인하기

1. 문서 하단에 "블로그 컨텐츠 쓰기" 버튼이 추가된 것을 확인합
   니다.

04.07.25. 제출 버튼 클릭해 보기

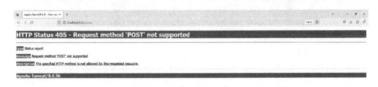

HTTP Status 405 - Request method 'POST' not suppor
ted

1. 제출 버튼을 클릭해 보면, 위와 같은 오류 메시지가 반기는 것
   을 확인할 수 있습니다.

HTTP Status 405 는 메시지에서도 알 수 있듯이 서버가 해당 HTTP
메서드를 지원하지 않는다는 뜻입니다.
우리는 GET /create 입력을 받아들이는 자바 메서드만 만들었으므
로, 당연히 서버는 POST /create 를 처리할 수 없는 것입니다.

118

HTTP Status 메서드는 다른 말로 HTTP Response Status Code (HTTP 응답 상태 코드) 라고도 하며, 서버가 응답을 처리한 결과를 나타내는 코드입니다. 굉장히 다양한 종류가 있으며 가장 많이 쓰는 항목들을 몇 개 뽑아보자면 다음과 같습니다.

번호	상태코드	의미
200	OK	정상 응답
301	Moved Permanently	리소스가 영구적으로 이동됨
302	Found	리소스가 임시로 이동됨
400	Bad Request	잘못된 요청
401	Unauthorized	인증되지 않음
403	Forbidden	권한 없음
404	Not Found	리소스를 찾을 수 없음
405	Method Not Allowed	메서드를 지원하지 않음
409	Conflict	서버 상태와 요청이 충돌됨.
500	Internal Server Error	서버 처리중 오류
502	Bad Gateway	게이트웨이에서 정상 응답하지 않음
503	Service Unavailable	서버가 요청을 처리할 준비가 되지 않음
504	Gateway Timeout	처리 시간이 너무 오래 걸림

05. 데이터베이스 준비하기

05.01. 오라클 설치

05.01.01. 오라클 설치 개요

오라클은 DBMS 중 하나로, 실무 현장에서는 가장 많이 쓰이는 RDBMS 입니다. 가격은 꽤 비싸지만 성능과 안정성 면에서는 제 가격을 한다는 평가를 받습니다.

이번 챕터에서는 오라클 무료 버전인 Oracle Database 21c Express Edition 을 설치해 보겠습니다.

DBMS 는 DataBase Management System 의 약자로, 데이터를 관리하는 프로그램입니다.
대부분의 웹 어플리케이션은 어딘가에 데이터를 저장할 곳이 필요합니다. 블로그 사용자가 입력한 포스팅이든, 시스템 운영에 필요한 기초 정보든 대부분의 것이 데이터입니다.
웹 어플리케이션 개발은 사실상 DBMS 에 읽고 쓰는 연산이 대부분이라고 할 정도로 데이터베이스 연동은 중요합니다.

RDBMS(Relational DBMS) 는 행(row) 과 열(column) 으로 이루어진 격자 모양의 테이블(table) 로 데이터를 관리하는 기술입니다.
테이블 간에는 관계(Relation)를 정의할 수 있고, 테이블간의 관계로 서로 흩어진 데이터를 관리하는 기술을 RDB(RelationalDataBase) 라고 부릅니다.

오라클 등 RDBMS 대부분은 "DB 서버"라고 불립니다. 웹 어플리케이션과 독립적으로 동작하며, 둘은 인터페이스를 통해서 데이터를 주고 받습니다.

DBMS 입장에서 보면, 웹 어플리케이션의 요청을 받아서, 요청을 처리한 후, 다시 응답을 되돌려주게 됩니다. 전형적인 서버의 역할이죠.

따라서 웹 어플리케이션과 DBMS가 연동을 할 때는 웹 어플리케이션이 "클라이언트", DBMS 가 "서버"가 됩니다.

오라클 외에도 MySQL (혹은 MySQL의 클론인 마리아디비 - MariaDB), Postgres 등 수많은 RDBMS 가 있습니다.

이전 책에서 마리아디비를 사용했었는데, 실무에서 상대적으로 많이 쓰지 않는 DBMS를 왜 사용했냐는 질문을 몇 번 받았었습니다.

사실 마리아디비도 실무에서 굉장히 많이 사용되기는 합니다만, 스프링 MVC, 즉 스프링 부트가 아닌 구버전의 스프링을 사용하는 곳에서는 오라클이 더 많이 사용될 꺼라 예상합니다. 스프링 MVC를 이용해서 프로젝트를 구축했다면 규모가 어느정도 되는 프로젝트일 것이고, 대규모의 프로젝트에서는 안정성을 이유로 오라클을 더 많이 사용하는 경향이 있기 때문입니다.

그래서 이번 글에서는 가장 실무에 가까운 오라클을 예제로 사용해서 진행합니다.

~~오라클이 마리아디비에 비해 훨씬 어렵다는 것이 함정..~~

05.01.02. 오라클 다운로드

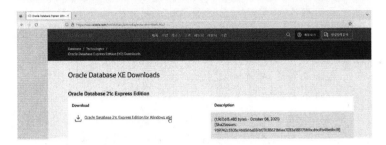

1. https://www.oracle.com/kr/database/technologies/xe-downl oads.html 에 접속한 후 Oracle Database 21c Express Edition for Windows x64 를 클릭합니다.

05.01.03. 오라클 설치 파일 압축 풀기

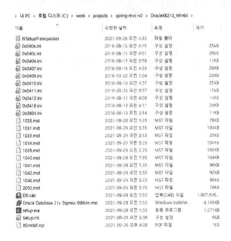

1. 다운로드한 zip 파일의 압축을 해제합니다.

설치한 이후에는 더이상 쓸모가 없으므로 압축 해제 폴더 위치는 중요 하지 않습니다.

> 내 PC › 로컬 디스크 (C:) › work › projects › spring-mvc-v2 › OracleXE213_Win64 ›

이름 ^	수정한 날짜	유형	크기
ISSetupPrerequisites	2021-09-29 오전 4:33	파일 폴더	
0x040a.ini	2016-08-13 오전 4:15	구성 설정	25KB
0x040c.ini	2016-08-13 오전 4:01	구성 설정	26KB
0x0404.ini	2016-08-13 오전 3:56	구성 설정	11KB

열기(O)	13 오전 4:03	구성 설정	26KB
🛡 관리자 권한으로 실행(A)	22 오전 3:04	구성 설정	22KB
호환성 문제 해결(Y)	13 오전 4:07	구성 설정	25KB
⊕ setup.zip으로 압축하기(Q)	23 오전 8:57	구성 설정	15KB
⊕ setup.7z로 압축하기(7)	13 오전 4:08	구성 설정	14KB
⊕ 반디집으로 압축하기(L)...	13 오전 4:11	구성 설정	24KB
⊕ 반디집으로 열기	13 오전 3:54	구성 설정	11KB
⊞ Microsoft Defender(으)로 검사...	29 오전 5:35	MST 파일	76KB
⮌ 공유	29 오전 5:35	MST 파일	104KB
이전 버전 복원(V)	29 오전 5:35	MST 파일	20KB
보내기(N) ›	29 오전 5:35	MST 파일	104KB
	29 오전 5:35	MST 파일	104KB
잘라내기(T)	29 오전 5:35	MST 파일	104KB
복사(C)	29 오전 5:35	MST 파일	96KB
바로 가기 만들기(S)	29 오전 5:35	MST 파일	92KB
삭제(D)	29 오전 5:35	MST 파일	96KB
이름 바꾸기(M)	29 오전 5:35	MST 파일	76KB
	29 오전 5:52	압축(CAB) 파일	1,907,646...
속성(R)	29 오전 5:53	Windows Installer...	4,145KB
setup.exe	2021-09-29 오전 5:53	응용 프로그램	1,271KB
Setup.ini	2021-09-29 오전 5:36	구성 설정	6KB
XEInstall.rsp	2021-09-28 오후 4:28	RSP 파일	1KB

1. setup.exe 파일을 우클릭합니다.
2. 팝업 메뉴에서 관리자 권한으로 실행을 클릭합니다.

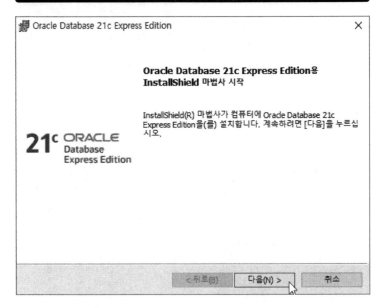

1. 다음 버튼을 클릭합니다.

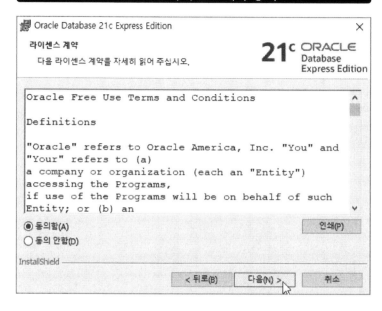

1. 동의함에 체크합니다.
2. 다음 버튼을 클릭합니다.

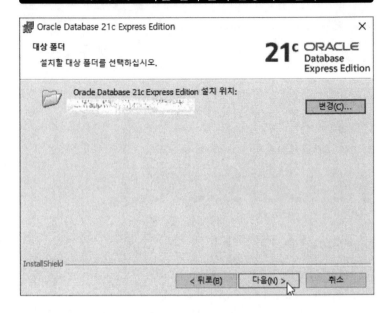

1. 설치 위치를 변경하기 위해 변경 버튼을 클릭합니다.

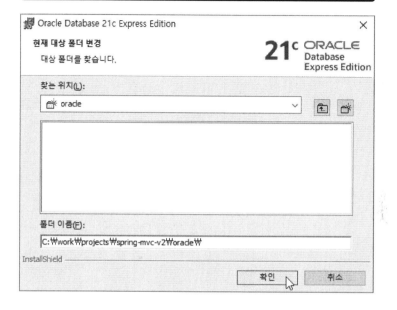

1. 프로젝트 폴더 아래에 `oracle` 폴더를 생성하고 폴더 위치를
   지정합니다.

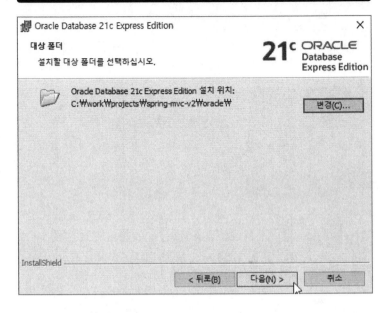

1. 설치 폴더가 잘 지정되었는지 확인합니다.
2. 다음 버튼을 클릭합니다.

1. 데이터베이스 비밀번호를 입력합니다. 저는 1234로 입력했습니다.

데이터베이스 관리자 비밀번호는 나중에 써야 하기 때문에 반드시 기록해 두세요.

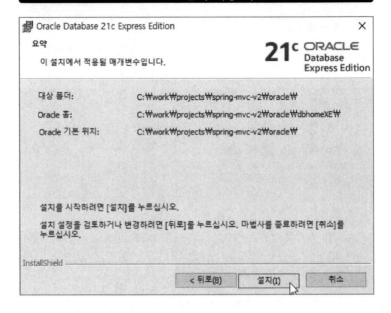

1. 모든 설치 내용을 확인하고 설치 버튼을 클릭해서 오라클 설치
   를 시작합니다.

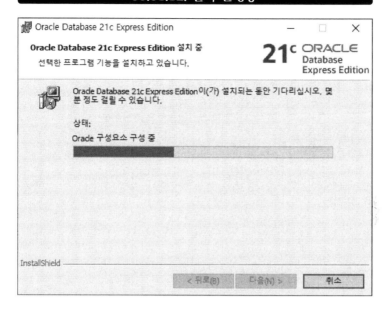

1. 오라클 설치가 진행중입니다. 꽤 오래 걸리므로 천천히 기다리
   세요.

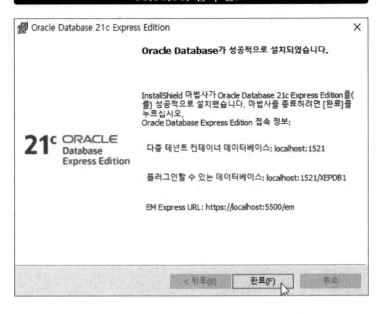

1. 데이터베이스 설치가 완료되었습니다. 완료 버튼을 클릭해서
   설치를 끝냅니다.

05.02. sqldeveloper 설치

05.02.01. sqldeveloper 설치 개요

sqldeveloper는 DBMS를 다루는 GUI 툴입니다. 본질적으로 DBMS는 그냥 시스템이기 때문에 시스템에 접근할 방법이 필요합니다.

콘솔 터미널을 통해 DBMS에 접근할 수 있지만, 처음 하시는 분들이 콘솔을 통해서 명령어를 하나씩 입력하시는 것은 꽤나 어려울 것이라고 생각합니다. 그리고 실무자들도 특별한 상황이 아니면 손으로 모든 명령어를 치고 있지는 않습니다.

따라서 오라클 DBMS에 접속해서 각종 명령어를 실행시키는 GUI 툴인 sqldeveloper 를 설치합니다.

~~대세는 DBeaver임에도 불구하고~~ 굳이 sqldeveloper 를 선택한 이유는 오라클을 쓰는 시스템 개발에서 sqldeveloper 는 사실상의 표준처럼 사용되는 것을 많이 봤기 때문입니다. ~~무료니까요.~~ 많이 사용하는 툴을 익혀두시는 것이 실전에 도움이 될 것이라고 믿습니다.

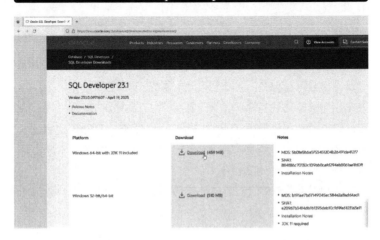

1. https://www.oracle.com/database/sqldeveloper/technologie s/download/ 에 접속합니다.
2. Windows 64-bit with JDK 11 included 를 다운로드합니다.

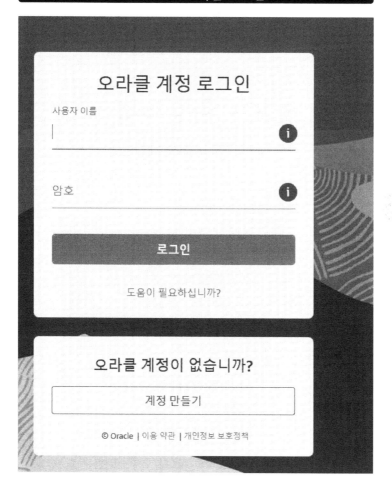

1. 오라클에 계정이 없다면 아래의 계정 만들기를 클릭해서 계정을 생성하세요.
2. 계정이 있다면 로그인합니다.

05.02.04. 압축 해제

내 PC › 로컬 디스크 (C:) › work › projects › spring-mvc-v2 › sqldeveloper

이름 ^	수정한 날짜	유형	크기
configuration	2023-10-11 오후 2:09	파일 폴더	
dataminer	2023-10-11 오후 2:09	파일 폴더	
dropins	2023-10-11 오후 2:09	파일 폴더	
equinox	2023-10-11 오후 2:09	파일 폴더	
external	2023-10-11 오후 2:09	파일 폴더	
ide	2023-10-11 오후 2:09	파일 폴더	
javavm	2023-10-11 오후 2:09	파일 폴더	
jdbc	2023-10-11 오후 2:09	파일 폴더	
jdev	2023-10-11 오후 2:09	파일 폴더	
jdk	2023-10-11 오후 2:09	파일 폴더	
jlib	2023-10-11 오후 2:09	파일 폴더	
jviews	2023-10-11 오후 2:09	파일 폴더	
modules	2023-10-11 오후 2:09	파일 폴더	
netbeans	2023-10-11 오후 2:09	파일 폴더	
rdbms	2023-10-11 오후 2:09	파일 폴더	
sleepycat	2023-10-11 오후 2:09	파일 폴더	
sqldeveloper	2023-10-11 오후 2:10	파일 폴더	
sqlj	2023-10-11 오후 2:10	파일 폴더	
svnkit	2023-10-11 오후 2:10	파일 폴더	
icon.png	2023-04-07 오후 4:07	PNG 파일	2KB
sqldeveloper.exe	2023-04-07 오후 4:31	응용 프로그램	92KB
sqldeveloper.sh	2023-04-07 오후 4:07	Shell Script	1KB

1. 프로젝트 폴더 아래에 `sqldeveloper` 폴더를 만들고 압축을
   해제합니다.

---

sqldeveloper는 포터블 프로그램이기 때문에 설치는 필요없
습니다.

05.03. sqldeveloper 로 데이터베이스 접속

> 내 PC › 로컬 디스크 (C:) › work › projects › spring-mvc-v2 › sqldeveloper

이름	수정한 날짜	유형	크기
configuration	2023-10-11 오후 2:09	파일 폴더	
dataminer	2023-10-11 오후 2:09	파일 폴더	
dropins	2023-10-11 오후 2:09	파일 폴더	
equinox	2023-10-11 오후 2:09	파일 폴더	
external	2023-10-11 오후 2:09	파일 폴더	
ide	2023-10-11 오후 2:09	파일 폴더	
javavm	2023-10-11 오후 2:09	파일 폴더	
jdbc	2023-10-11 오후 2:09	파일 폴더	
jdev	2023-10-11 오후 2:09	파일 폴더	
jdk	2023-10-11 오후 2:09	파일 폴더	
jlib	2023-10-11 오후 2:09	파일 폴더	
jviews	2023-10-11 오후 2:09	파일 폴더	
modules	2023-10-11 오후 2:09	파일 폴더	
netbeans	2023-10-11 오후 2:09	파일 폴더	
rdbms	2023-10-11 오후 2:09	파일 폴더	
sleepycat	2023-10-11 오후 2:09	파일 폴더	
sqldeveloper	2023-10-11 오후 2:10	파일 폴더	
sqlj	2023-10-11 오후 2:10	파일 폴더	
svnkit	2023-10-11 오후 2:10	파일 폴더	
icon.png	2023-04-07 오후 4:07	PNG 파일	2KB
sqldeveloper.exe	2023-04-07 오후 4:31	응용 프로그램	92KB
sqldeveloper.sh	2023-04-07	Shell Script	1KB

회사: Oracle
파일 버전: 23.1.0.97
만든 날짜: 2023-10-11 오후 2:09
크기: 91.6KB

1. 압축을 푼 sqldeveloper 디렉토리에서 sqldeveloper.exe를 더블클릭하세요.

05.03.02. 환경 설정 import

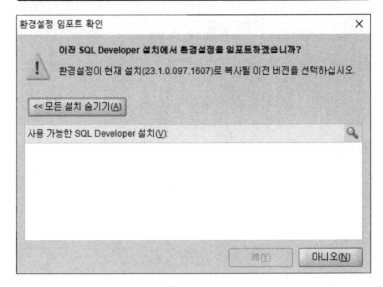

1. 처음 실행하면 환경 설정 import 화면이 나옵니다. 가져올 환경이 없으므로 아니오를 선택합니다.

05.03.03. 오라클 사용 추적 끄기

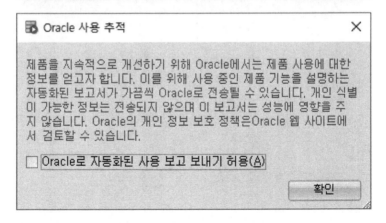

1. Oracle로 자동화된 사용 보고 보내기 허용 체크박스를 선택 해

제합니다. (오라클에 개인 정보를 보내고 싶으시다면 체크하셔
도 됩니다.)
2. 확인 버튼을 클릭합니다.

05.03.04. 접속 정보 추가 메뉴 진입

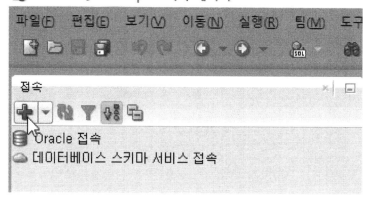

1. 왼쪽 위 초록색 십자가 버튼을 클릭합니다.

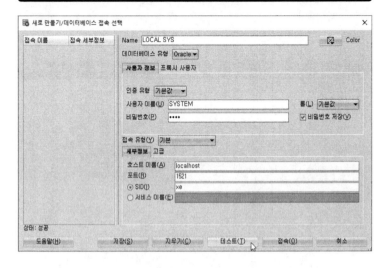

1. NAME : LOCAL SYS 입니다. 이름은 무엇이든 상관없지만, 저는 보통 {접속위치} {계정} 형식으로 지정하는 편입니다.

2. 데이터베이스 유형 : Oracle 을 선택합니다.

3. 인증 유형 : 기본값으로 둡니다.

4. 사용자 이름 : SYSTEM입니다. 대문자로 정확하게 기재하셔야 합니다. DBA 권한을 가진 계정 이름입니다.

5. 롤 : 기본값을 선택합니다.

6. 비밀번호 : 오라클 설치시 입력하신 비밀번호입니다. 저는 1234 로 입력했었으므로 1234를 사용합니다.

7. 접속유형 : 기본입니다.

8. 호스트 이름 : localhost입니다. 내 컴퓨터에 설치했으므로 localhost 입니다.

9. 포트 : 1521입니다. 1521은 오라클의 기본 포트입니다.

10. SID : xe 입니다.

11. 모두 입력되었는지 확인합니다.

12. 테스트 버튼을 클릭합니다.

13. 왼쪽 하단의 상태 : 성공 메시지를 확인합니다.

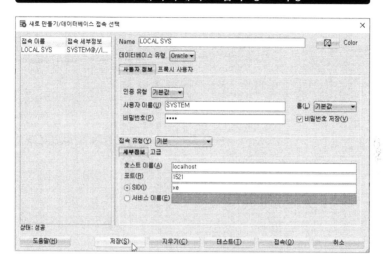

1. 저장 버튼을 클릭해서 입력한 데이터베이스 접속 정보를 저장
   합니다.

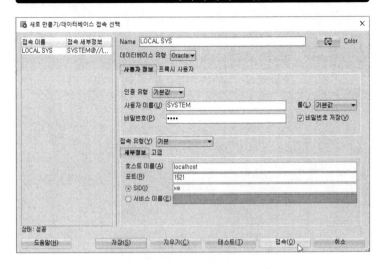

1. 접속 버튼을 클릭해서 데이터베이스에 접속해 봅니다.

05.04. 오라클 사용자 생성

오라클에서 사용할 사용자를 생성합니다.

오라클은 다른 DBMS와는 다르게 데이터베이스 생성 후 사용자에게 데이터베이스 권한을 부여하는 구조가 아닙니다. 대신 사용자를 생성하고 사용자에게 테이블 접근 권한을 줍니다.

따라서 오라클 사용자를 생성해 보겠습니다.

1. LOCAL SYS 로 데이터베이스에 접속했는지 확인합니다.

143

2. LOCAL SYS 를 우클릭합니다.

3. SQL 워크시트 열기를 클릭합니다.

05.04.03. 오라클 세션 세팅

```
ALTER SESSION SET "_ORACLE_SCRIPT"=true;
```

1. 오라클 세션 세팅 쿼리를 작성합니다.

2. F9 키를 눌러서 쿼리를 실행합니다.

쿼리(Query) 는 데이터베이스에 내리는 명령을 말합니다. 질의라고도
부릅니다.

현재 워크시트에는 쿼리가 하나만 존재하므로, 특별한 선택 없이 F9만
눌러서 실행했습니다. 워크시트에 쿼리가 여러 개 존재하는 경우에는
다음 챕터를 참고하세요.

```
ALTER SESSION SET "_ORACLE_SCRIPT"=true;

CREATE USER "SPRNG_BLG_USR"
IDENTIFIED BY "1234";
```

```
CREATE USER "SPRNG_BLG_USR"
IDENTIFIED BY "1234";
```

1. 사용자 생성 쿼리를 작성합니다.
2. 방금 작성한 쿼리만 이미지처럼 선택합니다.
3. F9 키를 눌러서 쿼리를 실행합니다.

사용자 이름은 SPRNG_BLG_USR 이고, 비밀번호는 1234입니다.

----

sqldeveloper 에서는 특별한 영역 지정 없이 F9키를 누를 경우 커서 직전의 쿼리가 실행됩니다. 따라서 하나의 워크시트에 쿼리를 여러 개 작성하신다면 반드시 실행할 쿼리를 미리 선택하는 습관을 들이시는 것이 정신건강에 이롭습니다. 운이 없으면 커서 위치에 따라 실수로 데이터 삭제 쿼리가 실행될 수도 있습니다.

사용자 이름이 SPRING_BLOG_USER 가 아니라 SPRNG_BLG_U

SR 입니다.

오라클에서 이름을 지을 때는 가능한 간단하게 짓습니다. 이는 오라클 11버전까지는 모든 오브젝트의 글자수가 30글자로 한정되어 있었기 때문입니다.

오라클 12 버전부터는 30글자 제한은 사라졌지만, 오랜 기간 몸으로 체득한 습관 때문에 현재도 짧게 줄여서 이름을 짓는 관행이 만연합니다. 따라서 우리도 실전에 익숙해지기 위해 관행을 따르겠습니다.

글자수를 줄일 때는 흔히 모음(A,E,I,O,U)를 제거하는 방법을 사용합니다. 다만 모음만 빼면 무슨 의미인지 알아보기 어려울 때나 줄이지 않아도 충분히 짧은 경우에는 글자수를 줄이지 않는 경우도 있습니다. 규칙은 깨지라고 있는 법이죠.

05.04.05. 접속 권한 부여

워크시트   질의 작성기

```
ALTER SESSION SET "_ORACLE_SCRIPT"=true;

CREATE USER "SPRNG_BLG_USR"
IDENTIFIED BY "1234";


GRANT CONNECT TO "SPRNG_BLG_USR";
```

`GRANT CONNECT TO "SPRNG_BLG_USR";`

1. `SPRNG_BLG_USR` 사용자에게 접속 권한을 부여하는 쿼리를 작성합니다.
2. `GRANT CONNECT` 쿼리 영역을 선택합니다.
3. F9 키를 눌러서 쿼리를 실행합니다.

접속 권한이 없으면 사용자 계정이 있어도 오라클 시스템에 접근할 수가 없으므로 사용자 계정이 오라클 시스템에 접속할 수 있도록 접속 권한을 부여한 것입니다.

05.04.06. 리소스 권한 부여

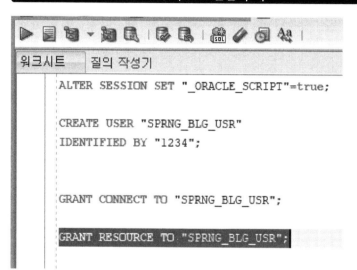

GRANT RESOURCE TO "SPRNG_BLG_USR";

1. 리소스 권한을 부여하는 쿼리를 작성합니다.
2. GRANT RESOURCE 쿼리 영역을 선택합니다.
3. F9 키를 눌러서 쿼리를 실행합니다.

리소스 권한이 있어야 테이블 생성/삭제 등 테이블 리소스(자원)에 접근할 수 있습니다.

```
LOCAL SYS
워크시트    질의 작성기
    alter user SPRNG_BLG_USR default tablespace users quota unlimited on users;
```

```
alter user SPRNG_BLG_USR default tablespace users
quora unlimited on users;
```

1. 테이블 스페이스 공간을 부여하는 쿼리를 작성합니다.
2. alter user 쿼리 영역을 선택합니다.
3. F9 키를 눌러서 쿼리를 실행합니다.

오라클은 테이블스페이스라고 해서 DB가 저장되는 공간이 있습니다.
이 테이블 스페이스에 사용자가 사용할 수 있는 공간을 확보해 줘야 데
이터 입력이 가능해집니다.

오라클에서 사용자를 생성하면 기본 테이블스페이스는 users 입니다
. 따라서 users 테이블 스페이스에 SPRNG_BLG_USR 가 사용할 수 있는
공간 한계(quora)를 무제한(unlimited)으로 설정한 것입니다.

148

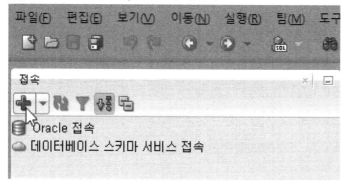

1. 왼쪽 위 초록색 십자가 버튼을 클릭합니다.

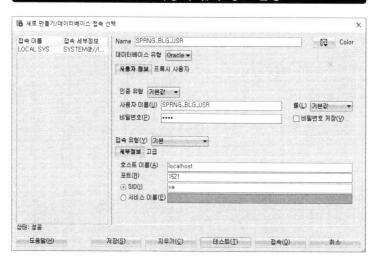

1. NAME : SPRNG_BLG_USR 입니다. 지금 보니 {접속위치} {계
   정} 규칙을 지키지 않았네요. 실전처럼(?) 귀찮으니까 내버려
   둡니다.

2. 데이터베이스 유형 : Oracle입니다.

3. 인증 유형 : 기본값입니다.

4. 사용자 이름 : SPRNG_BLG_USR입니다. 생성한 오라클 사용
   자 이름을 써 주시면 됩니다.

5. 롤 : 기본값입니다.

6. 비밀번호 : SPRNG_BLG_USR 생성시 설정하신 비밀번호입
   니다. 저는 1234 로 생성했었으므로 1234를 사용합니다.

7. 접속유형 : 기본입니다.

8. 호스트 이름 : localhost입니다.

9. 포트 : 1521입니다.

10. SID : xe 입니다.

11. 테스트 버튼을 눌러서 접속 정보가 맞는지 확인합니다.

12. 저장 버튼을 눌러서 해당 접속 정보를 저장합니다.

13. 접속 버튼을 눌러서 SPRNG_BLG_USR 접속 정보로 접속합
    니다.

05.05. 오라클 블로그 컨텐츠 테이블 생성

05.05.01. 오라클 테이블 생성 개요

오라클 사용자 `SPRNG_BLG_USR` 가 사용할 블로그 컨텐츠 테이블을 생성합니다.

테이블은 행(row - 로우) 과 열(column - 컬럼)으로 이루어진 데이터 보관 상자입니다. 엑셀의 시트를 생각하시면 쉽습니다.
행은 데이터를 나타냅니다.
열은 데이터의 이름과 형식을 나타냅니다.

데이터베이스에서 테이블을 생성할 때는 열을 미리 정의해서 데이터의 양식을 정합니다.

05.05.02. 테이블 생성 메뉴 진입

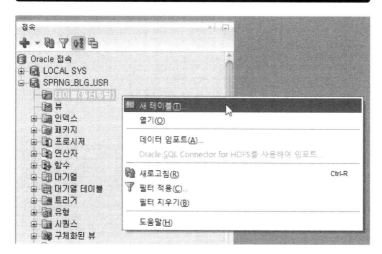

1. sqldeveloper 에서 SPRNG_BLG_USR로 접속합니다.

2. SPRNG_BLG_USR 메뉴를 펼칩니다.

3. 아래에 테이블(필터링됨)을 우클릭합니다.

4. 새 테이블을 클릭합니다.

05.05.03. 테이블 이름 설정

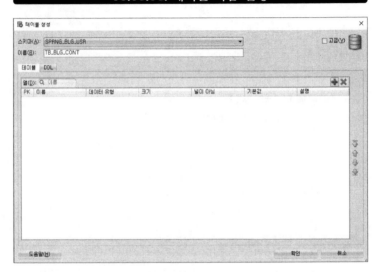

1. 이름 : `TB_BLG_CONT` 로 입력합니다.

TB는 TABLE 의 약자입니다. TB, 혹은 TBL로 많이들 사용합니다.

CONT 는 CONTENT의 약자입니다. ~~CONTENT에서 모음을 빼면 CNT~~
~~NT 인데, CNTNT는 카운트(Count)의 약자가 CNT여서 더 헷갈리니까~~
~~요~~

대부분의 DBMS에서 단어는 _ (언더바) 로 구분하는 스네이크 케이스(snake case)를 사용하는 것이 관례입니다.

05.05.04. PK 열 설정

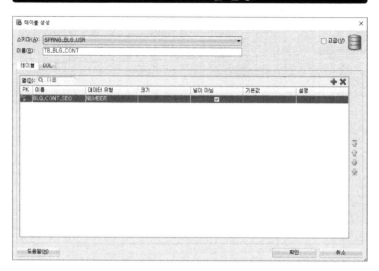

1. 열 란의 녹색 + 버튼을 클릭합니다. 새로운 열을 입력할 수 있는 칸이 추가됩니다.
2. 이름 : BLG_CONT_SEQ를 입력합니다.
3. 데이터 유형 : NUMBER 를 선택합니다.
4. 널이 아님 : 체크합니다.
5. PK : 클릭해서 열쇠 모양이 나오는지 확인합니다.

이름에 쓰인 SEQ 는 SEQUENCE 의 약자입니다. 순차적인 번호라는 의미입니다. 시퀀스에 대해서는 다음 챕터에서 설명합니다.

대부분의 DBMS는 열에 데이터 타입을 설정해야 합니다. NUMBER는 유추할 수 있듯이 숫자입니다.

오라클에서 가장 많이 쓰이는 데이터 타입은 다음과 같습니다.

데이터타입	설명
NUMBER	숫자. 소수점을 포함할 수 있습니다. 기본 자리수는 38자리수까지 표현 가능합니다.
CHAR	고정길이 문자. 고정 길이로 이루어진 영어나 숫자로 이루어진 코드값 등을 담거나, Y/N 등 그 갯수가 제한된 데이터를 담는 타입입니다.
NVARCHAR2	가변 길이 문자. 최대 글자 갯수만 제한합니다. 유니코드 기준으로 글자수를 셉니다.
VARCHAR2	가변 길이 문자. 최대 글자 갯수만 제한합니다. 바이트 기준으로 글자수를 셉니다.
NCLOB	대용량 텍스트 유니코드 데이터 타입. 많은 글자를 담을 수 있는 대신 성능상의 제한이 있습니다.
DATE	날짜/시간 타입. 이름과 다르게 시간도 담을 수 있습니다.
BLOB	이진 데이터를 담는 객체. 문자열로 표현할 수 없는 이미지 데이터 등도 담을 수 있습니다.

널(null) 은 자바와 마찬가지로 "비어있음"을 뜻합니다. 즉 데이터가 비

어있을 수 있다는 뜻이며, 널이 아님을 체크해서 Not Null 로 열을 지정
할 경우 행 입력/수정시 반드시 데이터를 넣어야 합니다.
Not Null 은 필수, Null 은 선택이라고 생각하시면 편합니다.

PK는 Primary Key 의 약자입니다. 각 행을 구별하는 고유 식별자라는
의미입니다.
DBMS 테이블에 많은 데이터 행이 쌓일 경우, 각 데이터 행을 구분하는
방법이 필요해집니다. 이 역할을 하는 것이 PK입니다.
블로그 포스팅을 예로 들어보면, 모든 글은 각자 글 번호가 있어서 글
을 구분합니다. 이 때 PK가 글 번호 역할을 합니다.

05.05.05. 제목 열 설정

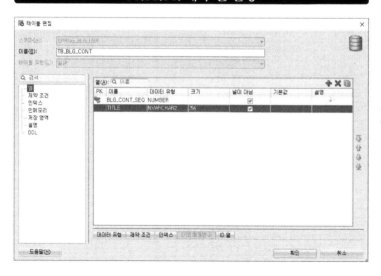

1. 열 란의 녹색 + 버튼을 클릭합니다.

2. 이름 : TITLE을 입력합니다.

3. 데이터유형 : NVARCHAR2입니다.

4. 크기 : 256 입니다. 블로그 글 제목은 256 글자 정도면 충분할

꺼에요.

5. 널이 아님 : 체크합니다. 마이크로블로그가 아닌 이상 제목은
   필수니까요.

행 이름 TITLE 은 글자수가 짧아서 줄이지 않고 그냥 사용하기로 결정
합니다. 아아 이율배반적인 오라클의 네어밍 세계..

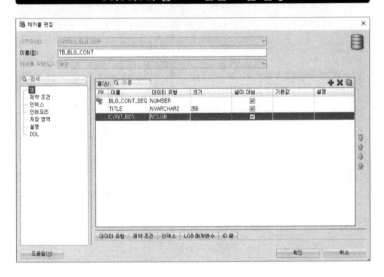

05.05.06. 블로그 컨텐츠 열 설정

1. 열 란의 녹색 + 버튼을 클릭합니다.

2. 이름 : CONT_BDY 를 입력합니다.

3. 데이터 유형 : NCLOB 입니다.

4. 널이 아님 : 체크합니다. 제목만 있는 블로그 글은 이상하니까
   요.

열 이름은 테이블 이름이 CONT로 끝나기 때문에 운율을 맞추기 위해
BODY에서 O를 생략하고 BDY로 표기했습니다.

데이터 유형이 NCLOB입니다.
오라클의 NVARCHAR2 타입은 최대 4,000바이트 제한이 있습니다.
그런데 블로그 컨텐츠는 특성상 사용자가 몇글자나 쓸 지 아무도 예측
할 수 없습니다.
따라서 최대 4GB 까지 저장 가능한 NCLOB 타입을 사용합니다.

05.05.07. 입력 시간 열 설정

1. 열 란의 녹색 + 버튼을 클릭합니다.

2. 이름 : INSERT_DT를 입력합니다.

3. 데이터 유형 : DATE 를 선택합니다.

4. 널이 아님 : 체크합니다.

5. 기본값 : SYSDATE 를 입력합니다.

6. 확인 버튼을 클릭합니다.

오라클의 DATE 타입의 열 이름에는 관행적으로 _DT 접미어(suffix)를
붙입니다.

기본값이 설정되어 있으면 데이터를 입력할 때 해당 열을 오라클이 기
본값으로 채워줍니다.
SYSDATE는 현재 시간을 나타내는 오라클 내장 함수입니다.
따라서 데이터를 입력할 때 TITLE, CONT_BDY 열의 데이터만 입력되
면 INSERT_DT 열은 오라클이 SYSDATE 함수를 호출해서 현재 시간
으로 채워줍니다.

05.05.08. 생성된 테이블 확인하기

1. 접속 정보에서 SPRNG_BLG_USR 를 클릭합니다.
2. 테이블(필터링됨)을 클릭합니다.
3. TB_BLG_CONT 를 클릭합니다.
4. 오른쪽에 테이블 정보가 보여지는지 확인합니다.

05.06. 오라클 블로그 컨텐츠 시퀀스 생성

05.06.01. 오라클 블로그 컨텐츠 시퀀스 생성 개요

오라클은 MySQL이나 MS-SQL 과 다르게 테이블의 PK가 자동 증가되는 기능이 없습니다. 따라서 직접 PK의 값을 입력해 주어야 합니다.

데이터 행이 입력될 때마다 수작업으로 테이블을 조회할 수는 없으므로 오라클은 대안으로 채번만을 위한 기능을 제공합니다. 이를 시퀀스(Sequence)라고 부릅니다.

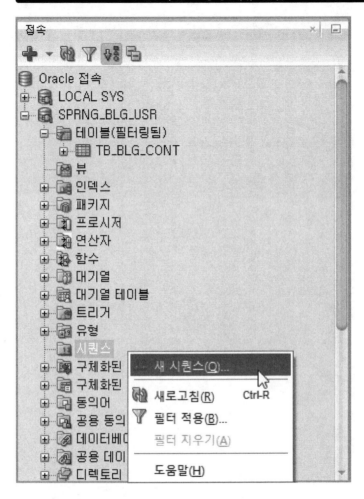

1. SPRNG_BLG_USR 를 펼칩니다.
2. 시퀀스를 우클릭합니다.
3. 새 시퀀스를 클릭합니다.

시퀀스 생성   ✕

스키마(A): | SPRNG_BLG_USR   ▼ |

이름(B): | SEQ_BLG_CONT |

| 속성 | DDL |

다음으로 시작(C): | 1 |

증분(D): | 1 |

최소값(E): | 1 |

최대값(F): | |

캐시(G): | <지정되지 않음>   ▼ |

캐시 크기(I): | |

주기(J): | <지정되지 않음>   ▼ |

정렬(K): | <지정되지 않음>   ▼ |

| 도움말(H) | 확인 | 취소 |

1. 이름 : SEQ_BLG_CONT 입니다.

2. 다음으로 시작 : 1

3. 증분 : 1

4. 최소값 : 1

5. 나머지 값은 기본으로 두고 확인 버튼을 클릭합니다.

이름이 SEQ_로 시작하는 건 SEQuence 의 약자 접두어입니다.

보통 시퀀스 이름을 지을때는 테이블명에서 TB_ 대신 SEQ_를 붙입니

다. 테이블명이 TB_BLG_CONT 였으므로 시퀀스 이름은 SEQ_BLG_
CONT가 된 것입니다.

테이블에 속한 열의 이름은 BLG_CONT_SEQ 였는데, 시퀀스의 이름은
SEQ_BLG_CONT 입니다. SEQ가 앞에 있으면 시퀀스, SEQ가 뒤에 있
으면 열 이름으로 각각 구분이 가능합니다.

다음으로 시작 : 시작 번호를 나타냅니다. 보통 1번부터 시작합니다.

증분 : 몇 씩 증가할 지를 나타냅니다. 특별한 일이 없으면 1씩 증가하
면 되겠죠?

최소값 : 최소값을 나타냅니다. 입력하지 않아도 자동으로 1입니다.

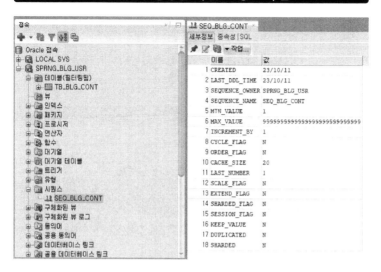

1. SPRNG_BLG_USR 를 펼칩니다.
2. 시퀀스를 클릭합니다.
3. SEQ_BLG_CONT를 클릭합니다.
4. 오른쪽에 펼쳐진 시퀀스 정보를 확인합니다.

05.07. 블로그 컨텐츠 샘플 데이터 입력해 보기

05.07.01. 샘플 데이터 입력해 보기 개요

테이블을 생성했으니, 데이터 열이 잘 입력되는지까지 확인해 보겠습니다.

05.07.02. 워크 시트 열기

1. `alt + F10` 을 누르거나 SQL 아이콘을 눌러서 새로운 SQL 워크시트를 엽니다.

05.07.03. 접속 선택

1. 접속 선택 화면이 나오면 SPRNG_BLG_USR를 선택합니다.

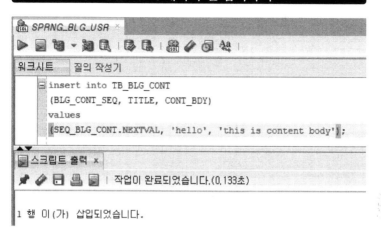

```
insert into TB_BLG_CONT
(BLG_CONT_SEQ, TITLE, CONT_BDY)
values
(SEQ_BLG_CONT.NEXTVAL, 'hello', 'this is content b
ody');
```

1. 데이터 입력 쿼리를 입력합니다.
2. F9를 눌러서 쿼리를 실행합니다.
3. 아래의 "스크립트 출력" 란에 "1 행 이 (가) 삽입되었습니다." 메
   시지를 확인합니다.

SQL 쿼리에서 데이터를 입력하려면 insert 구문을 사용합니다.

```
insert into {테이블명} ({열 1},{열 2}) values ({열
1의 값}, {열 2의 값})
```

SQL에서 문자열은 홑따옴표(')로 감싸야 합니다. 쌍따옴표(")는 인식하지 않으니 주의하세요.

```
'hello', 'this is content body');
```

`insert` 쿼리에서 컬럼과 값은 각각 `,` 로 구분하며 열의 갯수와 값의 개수는 일치해야 합니다.

```
(BLG_CONT_SEQ, TITLE, CONT_BDY)
(SEQ_BLG_CONT.NEXTVAL, 'hello', 'this is content b
ody');
```

`insert` 구문에서 열의 순서는 의미가 없습니다. 다만 열의 위치와 값의 위치는 일치해야 합니다.

```
(BLG_CONT_SEQ, TITLE, CONT_BDY)
(SEQ_BLG_CONT.NEXTVAL, 'hello', 'this is content b
ody');
```

`BLG_CONT_SEQ` 열의 값은 `SEQ_BLG_CONT.NEXTVAL`, `TITLE` 열의 값은 `'hello'`, `CONT_BDY` 열의 값은 `'this is content body'` 입니다.

시퀀스에서 다음 번호를 채번하려면 `{시퀀스}.NEXTVAL` 을 이용합니다. 블로그 컨텐츠 시퀀스 이름이 `SEQ_BLG_CONT` 였으므로 `SEQ_BLG_CONT.NEXTVAL` 으로 블로그 컨텐츠의 다음 PK를 채번합니다.

```
(SEQ_BLG_CONT.NEXTVAL,
```

INSERT_DT 열은 SYSDATE 로 기본값을 설정해 두었으므로, 자동으로
입력되도록 생략합니다. 만약 INSERT_DT 열을 입력하면 기본값은 무
시됩니다.

표준(ansi) SQL 쿼리는 대소문자를 구분하지 않습니다.

05.07.05. 데이터 열 조회하기

```
select * from TB_BLG_CONT;
```

1. 데이터 조회 쿼리를 입력합니다.
2. 데이터 조회 쿼리 전체를 선택합니다.
3. F9를 눌러서 쿼리를 실행합니다.
4. 아래에 "질의 결과" 결과 탭이 생기면서 입력한 값이 보여지는
   것을 확인합니다.

쿼리를 실행하지 않고 sqldeveloper에서도 확인할 수 있습니다. 테이블을 클릭하고 데이터 열을 선택해 보세요.

SQL 쿼리에서 데이터를 조회하려면 `select` 구문을 사용합니다.

```
SELECT {열들} from {테이블명} where {조건} order by
{정렬순서들}
```

테이블에 있는 모든 열을 조회하고 싶다면 일일이 열을 나열하는 대신 `{열들}` 부분에 `*` 를 쓸 수 있습니다.

```
select * from TB_BLG_CONT;
```

조회할 열을 지정하려면 `,` 로 구분해서 나열합니다. 예를 들어 `TITLE`, `CONT_BDY`, `INSERT_DT` 처럼요. 따라서 아래 두개의 구문은 동일합니다.

```
select * from TB_BLG_CONT;
select TITLE, CONT_BDY, INSERT_DT from TB_BLG_CONT
```

`{조건}` 은 조회에 쓰이는 조건입니다. `{열}` `{비교연산자}` `{값}` 형식으로 사용합니다.

SQL 조회 조건

조건	뜻	예시
A = B	같다	TITLE = 'hello'
A > B	크다	BLG_CONT_SEQ > 1
A >= B	크거나 같다	BLG_CONT_SEQ >= 1
A < B	작다	BLG_CONT_SEQ < 1
A <= B	작거나 같다	BLG_CONT_SEQ <= 1
A like 'B%'	시작한다	TITLE LIKE 'hell%'
A like '%B'	끝난다	TITLE LIKE '%llo'
A like '%B%'	포함한다	TITLE LIKE '%ell%'

조건은 여러개 나열할 수 있습니다. 각 조건은 관계에 따라 and 혹은 or 로 연결합니다.

and 는 조건 두개를 모두 만족해야 합니다. 자바의 && 과 같습니다.
or 는 조건 둘 중 하나만 만족하면 됩니다. 자바의 || 와 같습니다.

----

order by 는 정렬입니다. 필수는 아니며, 생략할 경우 DBMS가 조건에 해당하는 데이터를 찾은 순서대로 결과를 보여줍니다.

데이터를 정방향으로 정렬하려면 order by {열} asc , 혹은 order by {열} 로 사용합니다. asc 는 생략 가능하기 때문입니다.
역방향으로 정렬하려면 order by {열} desc 로 사용합니다.

정렬을 여러개로 하고 싶으면 order by A, B, C 처럼 , 로 구분하면 됩니다. 이 때 DBMS는 A로 정렬하고, A의 값이 똑같다면 그 안에서

B로 정렬하고, A와 B도 동일하다면 다시 C로 정렬합니다.

RDBMS에서 유의해야 할 것은 RDBMS는 데이터를 집합으로 다룬다는 것입니다. 지금은 데이터 행이 한 줄밖에 들어가지 않았으므로 하나의 결과만 나오지만, 데이터가 여러 행이라면 여러 행이 모두 나옵니다.
따라서 반드시 영향을 받는 행을 제한해 줄 필요가 있습니다. 즉, RDBMS는 모든 결과를 객체가 아닌 객체 배열로 다루는 것처럼 생각하시는 것이 편합니다.

많은 경우 `select` 구문의 결과는 입력한 순서대로 보여주지만, 데이터가 많을 경우 DBMS가 찾아낸 순서대로 보여주므로 `order by` 가 생략되면 데이터가 입력된 순서대로 보여진다는 보장이 없다는 것을 꼭 알아야 합니다.

05.08. 데이터베이스 라이브러리 설정

05.08.01. 데이터베이스 라이브러리 설정 개요

스프링에서 데이터베이스에 접속하기 위해서는 추가 라이브러리가 필요합니다. 우리는 마이바티스(MyBatis)라는 라이브러리를 써서 데이터베이스에 접근하는 방식을 취하겠습니다.

마이바티스는 DBMS에 전달할 쿼리를 XML 방식으로 다루게 해 주는 SQL 매퍼입니다.

경험상 스프링으로 구성된 프로젝트는 마이바티스(혹은 마이바티스의 옛 이름인 아이바티스-ibatis)를, 스프링 부트를 사용하는 프로젝트는 JPA를 사용하는 경향이 있습니다.
우리는 스프링 MVC을 배우고 있으므로 마이바티스를 이용해 쿼리를 직접 다루는 방법을 익혀보겠습니다.

```
spring-mvc-v2/pom.xml
117            <scope>test</scope>
118        </dependency>
119
120     <!-- database -->
121     <!-- https://mvnrepository.com/artifact/org.mybatis/mybatis -->
122     <dependency>
123            <groupId>org.mybatis</groupId>
124            <artifactId>mybatis</artifactId>
125            <version>3.5.13</version>
126        </dependency>
127
128     <!-- https://mvnrepository.com/artifact/org.mybatis/mybatis-spring -->
129     <dependency>
130            <groupId>org.mybatis</groupId>
131            <artifactId>mybatis-spring</artifactId>
132            <version>2.1.1</version>
133        </dependency>
134
135     <!-- https://mvnrepository.com/artifact/org.springframework/spring-jdbc -->
136     <dependency>
137            <groupId>org.springframework</groupId>
138            <artifactId>spring-jdbc</artifactId>
139            <version>${org.springframework-version}</version>
140        </dependency>
141
142     <!-- https://mvnrepository.com/artifact/org.apache.commons/commons-dbcp2 -->
143     <dependency>
144            <groupId>org.apache.commons</groupId>
145            <artifactId>commons-dbcp2</artifactId>
146            <version>2.10.0</version>
147        </dependency>
148
149     <!-- https://mvnrepository.com/artifact/com.oracle.database.jdbc/ojdbc8 -->
150     <dependency>
151            <groupId>com.oracle.database.jdbc</groupId>
152            <artifactId>ojdbc8</artifactId>
153            <version>21.11.0.0</version>
154        </dependency>
155
156    </dependencies>
```

Overview | Dependencies | Dependency Hierarchy | Effective POM | pom.xml

```
<!-- database -->
<!-- https://mvnrepository.com/artifact/org.mybati
s/mybatis -->
<dependency>
    <groupId>org.mybatis</groupId>
    <artifactId>mybatis</artifactId>
    <version>3.5.13</version>
</dependency>

<!-- https://mvnrepository.com/artifact/org.mybati
s/mybatis-spring -->
```

```xml
<dependency>
    <groupId>org.mybatis</groupId>
    <artifactId>mybatis-spring</artifactId>
    <version>2.1.1</version>
</dependency>

<!-- https://mvnrepository.com/artifact/org.spring
framework/spring-jdbc -->
<dependency>
    <groupId>org.springframework</groupId>
    <artifactId>spring-jdbc</artifactId>
    <version>${org.springframework-version}</versi
on>
</dependency>

<!-- https://mvnrepository.com/artifact/org.apache
.commons/commons-dbcp2 -->
<dependency>
    <groupId>org.apache.commons</groupId>
    <artifactId>commons-dbcp2</artifactId>
    <version>2.10.0</version>
</dependency>

<!-- https://mvnrepository.com/artifact/com.oracle
.database.jdbc/ojdbc8 -->
<dependency>
    <groupId>com.oracle.database.jdbc</groupId>
    <artifactId>ojdbc8</artifactId>
    <version>21.11.0.0</version>
</dependency>
```

1. pom.xml 파일을 엽니다.
2. </dependencies> 태그를 찾습니다.

3. 바로 위에 마이바티스 라이브러리 의존성을 추가합니다.

메이븐 프로젝트에서 모든 라이브러리 관리는 메이븐이 담당하므로, 메이븐 설정 파일인 `pom.xml` 파일의 `<dependencies>` ~ `</dependencies>` 태그 안에 내용을 추가합니다.

`mybatis` 는 XML로 쿼리를 작성하게 해 주는 라이브러리입니다.

```
<dependency>
    <groupId>org.mybatis</groupId>
    <artifactId>mybatis</artifactId>
    <version>3.5.13</version>
</dependency>
```

쿼리를 문자열로 코딩하지 않고 XML 을 사용해서 관리하게 해 줍니다. 마이바티스 라고 읽습니다.

`mybatis-spring` 은 스프링과 mybatis 를 연동하게 해 주는 라이브러리입니다.

```
<dependency>
    <groupId>org.mybatis</groupId>
    <artifactId>mybatis-spring</artifactId>
    <version>2.1.1</version>
</dependency>
```

> 글을 쓰는 시점에 mybatis-spring 라이브러리의 최신 버전은 3.0 입니다. 하지만 이는 스프링 6 용이어서 우리가 사용하

는 스프링 5 에는 호환되지 않습니다. 따라서 스프링 5, 자바 8 버전에 해당하는 가장 최신 버전인 2.1.1 버전을 사용하겠습니다.

----

spring-jdbc 는 자바에서 데이터베이스에 접속하기 위한 API인 JDBC(Java Database Connectivity)를 스프링에 맞춰서 제공하는 라이브러리입니다.

```
<dependency>
    <groupId>org.springframework</groupId>
    <artifactId>spring-jdbc</artifactId>
    <version>${org.springframework-version}</version>
</dependency>
```

----

dbcp2 는 데이터베이스 커넥션 풀(Database Connection Pool)입니다.

```
<dependency>
    <groupId>org.apache.commons</groupId>
    <artifactId>commons-dbcp2</artifactId>
    <version>2.10.0</version>
</dependency>
```

데이터베이스 서버와 웹 서버는 서로 다른 프로그램이고, 실무에서는 전혀 다른 컴퓨터에 설치되어 있을 가능성이 높습니다.
서로 다른 컴퓨터와 프로그램이 통신을 하기 위해서는 서로 연결을 맺는 과정이 필요한데, 연결을 맺는 시간이나 네트워크 비용이 꽤 비싼 편입니다. 따라서 미리 데이터베이스와 연동하기 위한 길을 만들어놓는 라이브러리가 dbcp2 입니다.

175

dbcp2 는 마이너 버그 픽스만 있고 기능 개발은 멈춘 상태
입니다. ~~하지만 구버전인 여러분의 프로젝트는 사용하고 있~~
~~을 확률이 높습니다.~~

또다른 커넥션 풀 라이브러리인 hikaricp 가 유명세를 얻기
전에는 가장 많이 사용되는 데이터베이스 커넥션 풀 라이브
러리였으므로, 이런게 있다 정도만 보시는 것도 도움이 될 것
같아서 넣었습니다.

---

ojdbc8 은 오라클에 접속하기 위한 라이브러리입니다.

```
<dependency>
    <groupId>com.oracle.database.jdbc</groupId>
    <artifactId>ojdbc8</artifactId>
    <version>21.11.0.0</version>
</dependency>
```

아주 멋 옛날에는 오라클에서 메이븐 빌드를 지원하지 않아
서 사설 리포지토리(넥서스)를 이용하거나, 원시적으로 직접
jar 파일을 프로젝트에 직접 추가하는 방법을 썼었습니다만,
지금은 오라클에서도 메이븐 리파지터리를 지원하므로 이
제 그러시지 않아도 됩니다.
만약 여러분이 일하게 될 프로젝트가 예전에 구성되어서 ojd
bc를 직접 수동으로 구성해야 한다면, 먼저 일하고 계신 분
께 여쭤봐서 라이브러리를 구성하셔야 합니다.

---

ojdbc은 11버전까지 나온 상태이지만, 최소한 JDK 11을 필
요로 하기 때문에 JDK 8을 지원하는 ojdbc8을 사용합니다.

또한 ojdbc8 안에서도 버전이 나누어지는데요. 이는 일반적으로 오라클의 버전을 따라갑니다. 즉 오라클 21C를 설치했다면 ojdbc8 버전도 21버전대를 선택하는 식입니다.

물론 ojdbc 버전이 더 높은 것은 대부분의 경우 별 문제없이 실행됩니다만, 프로젝트는 안정성이 중요하므로 ~~괜히 최신버전을 쓰겠다고 객기 아닌 객기를 부려봤자 얻어가는 건 야근 뿐이므로~~ 가능한 버전을 맞춰 쓰면 좋습니다.

05.08.03. 메이븐 빌드

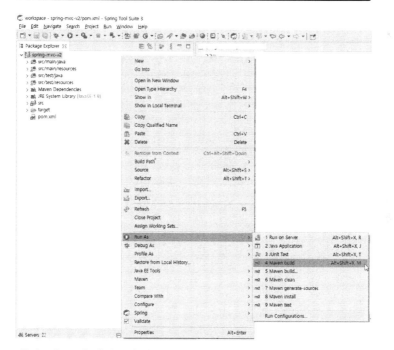

메이븐을 통해 라이브러리를 다운로드하고 빌드합니다.

1. 프로젝트를 우클릭합니다.
2. Run As 를 선택합니다.
3. 4 Maven Build를 클릭합니다.

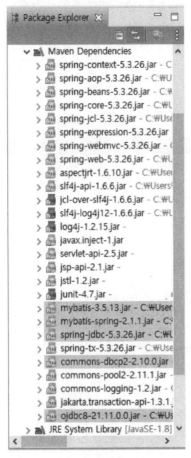

메이븐 빌드 결과를 확인합니다.

1. 패키지 탐색기 에서 Maven Dependency를 펼칩니다.
2. 우리가 추가한 라이브러리 5개가 모두 있는지 확인합니다.

05.09. 데이터베이스 관련 자바 빈 설정

05.09.01. 데이터베이스 관련 자바 빈 설정 개요

스프링에서 데이터베이스에 접속하기 위해서는 최소한 세개의 자바 빈이 필요합니다.

- 데이터소스 빈 : 스프링에서 데이터베이스에 접속하기 위한 접속 정보를 뜻합니다.
- `sqlSessionFactory` 빈 : 데이터베이스와 연결을 맺고 끊어질 때까지의 라이프 사이클을 관리하는 `sqlSession` 객체를 만듭니다.
- `sqlSessionTemplate` 빈 : 데이터베이스에 개별적으로 쿼리를 실행시키는 객체입니다.

스프링은 선언적 자바 빈 생성을 지향하는 프레임워크이기 때문에, 어플리케이션 구동에 필요한 자바 빈들을 미리 정의하는 기능이 있습니다. 이러한 자바 빈들은 각각의 컨텍스트에 따라 사용되는 범위가 다르기 때문에 컨텍스트(context)별로 정의하는 경우가 많습니다.

이번 챕터에서는 데이터베이스 접속을 위한 `db-context.xml` 컨텍스트 파일을 만들고, 그 안에 세개의 자바 빈을 정의하고, 마지막으로 `db-context.xml` 파일을 어플리케이션 시작시 읽을 수 있도록 `web.xml`에 연결하겠습니다.

스프링에서 `context` 파일은 컨텍스트, 즉 문맥을 나타냅니

179

다.

처음 스프링 프로젝트를 생성하면 `root-context.xml` 파일과 `servlet-context.xml` 파일 두 개가 있습니다. `root-context.xml` 파일은 전체 어플리케이션에서 사용되어야 하는 설정을 하는 데 사용되고, `servlet-context.xml` 파일은 웹 영역(뷰와 컨트롤러)에서 사용되는 설정을 나타냅니다. 이렇게 분리하는 이유는 스프링이 웹을 위한 프레임워크가 아니라 자바 개발 전반을 아우르는 프레임워크를 지향하기 때문입니다. 따라서 웹 영역을 분리하고서도 실행할 수 있도록 각각의 문맥을 분리하는 것이죠.

한국에서는 스프링을 거의 스프링 웹 혹은 스프링 배치로만 사용하므로 컨텍스트 분리가 그다지 큰 의미는 없습니다. (그래서 스프링 부트에서는 대부분 컨텍스트를 분리하지 않고 한번에 설정하기도 합니다.)
다만 기존에 구성된 스프링 MVC 프로젝트는 컨텍스트를 잘게 나누어서 구성했을 확률이 높고, 프로젝트에 들어가서 운~~이 없으면~~ 설정 파일을 읽어야 할 상황이 올 지도 모르므로 사용법을 익히기 위해 일부러 책 내용에 추가했습니다.

05.09.02. root-context.xml 파일 복사

1. 패키지 탐색기에서 `root-context.xml` 파일을 복사합니다. 우
   클릭 후 Copy를 클릭하거나 `ctrl + c` 를 누릅니다.

메뉴를 통해 xml 파일을 생성할 수도 있지만, 이번에는 기존의 파일을
복사해서 새로운 파일을 만드는 방법을 익혀보겠습니다.

05.09.03. root-context.xml 붙여넣기

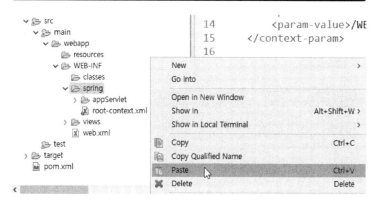

1. `src/main/webapp/WEB-INF/spring` 폴더를 선택합니다.
2. 우클릭 후 Paste 를 클릭하거나 `ctrl + v` 를 누릅니다.

05.09.04. db-context.xml 파일 생성

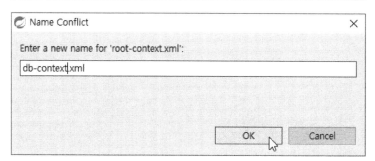

1. 파일명 변경 팝업이 보여집니다.
2. `db-context.xml` 로 파일 이름을 변경합니다.
3. OK 버튼을 클릭합니다.

05.09.05. db-context.xml 파일 내용 확인

```
1 <?xml version="1.0" encoding="UTF-8"?>
2 <beans xmlns="http://www.springframework.org/schema/beans"
3     xmlns:xsi="http://www.w3.org/2001/XMLSchema-instance"
4     xsi:schemaLocation="http://www.springframework.org/schema/beans https://www.springframework.org/schema/beans/
5
6     <!-- Root Context: defines shared resources visible to all other web components -->
7
8 </beans>
9
```

1. 생성된 `db-context.xml` 파일 내용을 확인합니다. 아무 내용
   도 없네요.

05.09.06. 데이터 소스 빈 정의하기

```
1 <?xml version="1.0" encoding="UTF-8"?>
2 <beans xmlns="http://www.springframework.org/schema/beans"
3     xmlns:xsi="http://www.w3.org/2001/XMLSchema-instance"
4     xsi:schemaLocation="http://www.springframework.org/schema/beans https://www.springframework.org/schema/beans/
5
6     <!-- DB Context -->
7     <bean id="dataSource"
8         class="org.apache.commons.dbcp2.BasicDataSource"
9         destroy-method="close">
10        <property name="driverClassName"
11            value="oracle.jdbc.driver.OracleDriver" />
12        <property name="url"
13            value="jdbc:oracle:thin:@localhost:1521:xe" />
14        <property name="username" value="SPRNG_BLG_USR" />
15        <property name="password" value="1234" />
16    </bean>
17
```

```
src/main/webapp/WEB-INF/spring/db-context.xml
<!-- DB Context -->
<bean id="dataSource"
    class="org.apache.commons.dbcp2.BasicDataSourc
e"
    destroy-method="close">
    <property name="driverClassName"
        value="oracle.jdbc.driver.OracleDriver" />
    <property name="url"
        value="jdbc:oracle:thin:@localhost:1521:xe
" />
```

```
        <property name="username" value="SPRNG_BLG_USR
" />
        <property name="password" value="1234" />
</bean>
```

1. `<!-- Root Context: defines shared resources visible t
   o all other web components -->` 항목을 삭제합니다.
2. 위의 코드 항목을 입력합니다.

데이터베이스 접속 정보를 데이터소스(dataSource)라고 부릅니다.

```
<bean id="dataSource"
    class="org.apache.commons.dbcp2.BasicDataSourc
e"
    destroy-method="close">
```

id 는 dataSource 입니다.
데이터소스 클래스는 dbcp2 의 BasicDataSource 입니다. 이렇게만
설정해 두면 dbcp2 의 커넥션 풀을 이용할 수 있습니다.

드라이버는 실제로 데이터베이스에 접속하기 위한 기능을 구현한 클
래스입니다.

```
<property name="driverClassName"
    value="oracle.jdbc.driver.OracleDriver" />
```

드라이버 클래스는 메이븐에서 다운로드한 ojdbc8.jar 파일 안에 있
습니다.

`url` 항목은 데이터베이스 접속 정보를 나타냅니다.

```
<property name="url"
    value="jdbc:oracle:thin:@localhost:1521:xe" />
```

형식은 `jdbc:oracle:{드라이버타입}:@{주소}:{포트}:{SID}` 입니다.

- 드라이버타입 : `thin` 혹은 `OCI` 입니다. 특별한 경우가 아니면 `thin` 을 사용하시면 됩니다.
- 주소 : 데이터베이스가 설치된 주소입니다. 우리는 실습을 위해 오라클을 로컬에 설치했으므로 `localhost` 입니다. 실무에 나가보시면 이 주소가 `192.168.0.1` 처럼 IP 형식으로 되어 있을 확률이 높고, 이 주소가 실제 데이터베이스가 설치된 주소입니다.
- 포트 : 데이터베이스 포트입니다. 오라클은 기본 포트가 1521 이죠.
- SID : 오라클 서버의 고유 식별자입니다.

`username` 은 데이터베이스 유저입니다.

```
<property name="username" value="SPRNG_BLG_USR" />
```

`password` 는 데이터베이스 유저의 비밀번호입니다.

```
<property name="password" value="1234" />
```

05.09.07. sqlSessionFactory 빈 정의하기

```
 6     <!-- DB Context -->
 7°    <bean id="dataSource"
 8         class="org.apache.commons.dbcp2.BasicDataSource"
 9         destroy-method="close">
10         <property name="driverClassName"
11             value="oracle.jdbc.driver.OracleDriver" />
12         <property name="url"
13             value="jdbc:oracle:thin:@localhost:1521:xe" />
14         <property name="username" value="SPRNG_BLG_USR" />
15         <property name="password" value="1234" />
16     </bean>
17
18°    <bean id="sqlSessionFactory"
19         class="org.mybatis.spring.SqlSessionFactoryBean">
20         <property name="dataSource" ref="dataSource" />
21         <property name="mapperLocations"
22             value="classpath:/sqlmap/**/*_SQL.xml" />
23     </bean>
24
```

src/main/webapp/WEB-INF/spring/db-context.xml

```
<bean id="sqlSessionFactory"
    class="org.mybatis.spring.SqlSessionFactoryBea
n">
    <property name="dataSource" ref="dataSource" /
>
    <property name="mapperLocations"
        value="classpath:/sqlmap/**/*_SQL.xml" />
</bean>
```

1. 데이터소스 빈 정의 아래에 `sqlSessionFactory` 코드를 입력
   합니다.

`sqlSessionFactory` 는 데이터베이스와 연결을 맺고 끊어질 때까지
의 라이프 사이클을 관리하는 `sqlSession` 객체를 만듭니다.

```
<bean id="sqlSessionFactory"
```

185

데이터베이스 연결은 단순히 연결만 하는 게 아니라, 연결하고, 쿼리를 전달하고, 결과를 받아오고, 데이터베이스 연결을 닫고, 오류가 있을 때 처리하고 하는 등 일련의 절차가 있습니다. 이를 대신해주는 객체입니다.

`dataSource` 매개변수는 설정한 데이터소스의 `id` 를 넣어주시면 됩니다.

```
<property name="dataSource" ref="dataSource" />
```

데이터 소스 정보를 바탕으로 sqlSessionFactory는 데이터베이스 연결을 만듭니다.

`mapperLocations` 매개변수는 매퍼 파일의 위치를 지정합니다.

```
<property name="mapperLocations"
        value="classpath:/sqlmap/**/*_SQL.xml" />
```

매퍼 파일은 실제로 쿼리 내용이 담겨있는 파일들입니다.

- `classpath` 는 클래스 경로를 뜻합니다. 패키지 탐색기 상에서 `src/main/resource` 입니다.
- `**` 는 하위 폴더를 포함한다는 의미입니다.
- `*` 는 아무 글자나 와도 상관없지만 하위 폴더는 포함하지 않는다는 뜻입니다.
- `_SQL.xml` 은 매퍼 파일이 `_SQL.xml` 로 끝나야 한다는 것을 의미합니다.

따라서 `classpath:/sqlmap/**/*_SQL.xml` 은 `/src/main/resources/sqlmap/` 로 시작하고 `_SQL.xml` 로 끝나는 파일들을 매퍼 파일로 쓴

다고 스프링에 알려주는 것입니다.

05.09.08. sqlSessionTemplate 빈 정의하기

```
18   <bean id="sqlSessionFactory"
19       class="org.mybatis.spring.SqlSessionFactoryBean">
20       <property name="dataSource" ref="dataSource" />
21       <property name="mapperLocations"
22           value="classpath:/sqlmap/**/*_SQL.xml" />
23   </bean>
24
25   <bean id="sqlSessionTemplate"
26       class="org.mybatis.spring.SqlSessionTemplate">
27       <constructor-arg index="0" ref="sqlSessionFactory" />
28   </bean>
29
30 </beans>
31
```

src/main/webapp/WEB-INF/spring/db-context.xml

```xml
<bean id="sqlSessionTemplate"
    class="org.mybatis.spring.SqlSessionTemplate">
    <constructor-arg index="0" ref="sqlSessionFact
ory" />
</bean>
```

1. sqlSessionFactory 빈 정의 아래에 sqlSessionTemplate 코
   드를 입력합니다.

- -

sqlSessionTemplate 는 데이터베이스에 개별적으로 쿼리를 실행시
키는 객체입니다.

```
<bean id="sqlSessionTemplate"
    class="org.mybatis.spring.SqlSessionTemplate">
```

코딩시에는 sqlSessionTemplate 를 소스코드에서 사용하여 쿼리를
실행시킵니다.

- -

생성자의 첫번째 인수는 `sqlSessionFactory` 입니다.

```
<constructor-arg index="0" ref="sqlSessionFactory"
/>
```

05.09.09. web.xml 파일에 db-context.xml 파일 추가

```
/ web.xml
2  <web-app version="2.5" xmlns="http://java.sun.com/xml/ns/javaee"
3     xmlns:xsi="http://www.w3.org/2001/XMLSchema-instance"
4     xsi:schemaLocation="http://java.sun.com/xml/ns/javaee https://java.sun.com/xml/ns/javaee/web-app_2_5.xsd">
5
6     <!-- The definition of the Root Spring Container shared by all Servlets and Filters -->
7     <context-param>
8        <param-name>contextConfigLocation</param-name>
9        <param-value>/WEB-INF/spring/root-context.xml</param-value>
10    </context-param>
11
12    <context-param>
13       <param-name>contextConfigLocation</param-name>
14       <param-value>/WEB-INF/spring/db-context.xml</param-value>
15    </context-param>
16
17    <!-- Creates the Spring Container shared by all Servlets and Filters -->
18    <listener>
19       <listener-class>org.springframework.web.context.ContextLoaderListener</listener-class>
20    </listener>
21
22    <!-- Processes application requests -->
23    <servlet>
24       <servlet-name>appServlet</servlet-name>
25       <servlet-class>org.springframework.web.servlet.DispatcherServlet</servlet-class>
```

src/main/webapp/WEB-INF/web.xml

```
<context-param>
    <param-name>contextConfigLocation</param-name>
    <param-value>/WEB-INF/spring/db-context.xml</p
aram-value>
</context-param>
```

1. `web.xml` 파일을 엽니다.
2. `context-param` 항목을 추가합니다.

우리는 데이터베이스 설정 정보를 분리하기 위해 `db-context.xml` 파일을 따로 분리했으므로 스프링에게 서버를 시작할 때 `db-context.xml` 을 읽어야 한다고 알려줘야 합니다.

`web.xml` 파일은 스프링 서버가 기동될 때 처음으로 읽는 설정 파일입니다. 이곳에 `<context-param>` 을 설정해 두면, 서버가 시작될 때 `context-param` 에 설정을 읽어서 `db-context.xml` 파일을 로딩합니다.

06. 블로그 컨텐츠 입력 기능 만들기

06.01. 매퍼 XML 생성

06.01.01. 블로그 컨텐츠 매퍼 XML 생성 개요

데이터베이스에 요청할 쿼리를 작성할 매퍼 XML 을 작성해 보겠습니다. 이번 챕터에서는 블로그 컨텐츠에 데이터를 입력하는 쿼리를 작성합니다.

06.01.02. 매퍼 폴더 생성 메뉴 진입

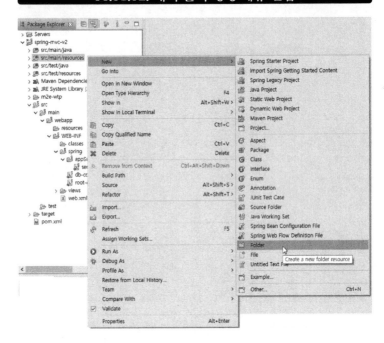

1. src/main/resources 디렉토리를 우클릭합니다.
2. new를 선택합니다.
3. Folder를 선택합니다.

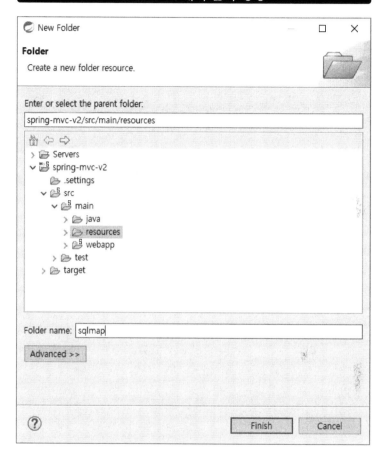

1. New Folder 메뉴에서 폴더 이름을 sqlmap으로 지정합니다.
2. Finish를 선택합니다.

----

db-context.xml 파일 sqlSessionFactory 에서 지정한 매퍼 폴더 s
qlmap 폴더를 생성합니다.

```
/src/main/webapp/WEB-INF/spring/db-context.xml
<bean id="sqlSessionFactory"
    class="org.mybatis.spring.SqlSessionFactoryBea
n">
    <property name="dataSource" ref="dataSource" /
>
    <property name="mapperLocations"
        value="classpath:/sqlmap/**/*_SQL.xml" />
</bean>
```

06.01.04. 매퍼 폴더 위치 확인

🏠 Package Explorer ⋈

> 📂 Servers
∨ 📱 spring-mvc-v2
  > 📁 src/main/java
  ∨ 📁 src/main/resources
      ⊞ sqlmap
      📁 META-INF
      🗒 log4j.xml
  > 📁 src/test/java

매퍼 폴더가 src/main/resources > sqlmap 경로에 있는지 확인합
니다.

1. `src/main/resource` 아래 `sqlmap` 패키지를 우클릭합니다.
2. New 를 누릅니다.
3. Other를 선택합니다.

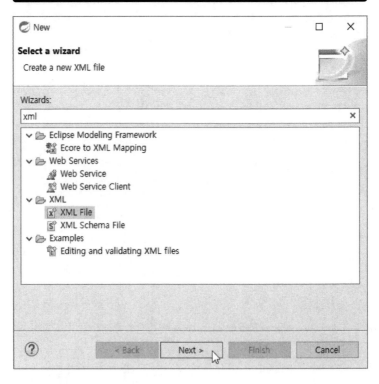

1. 파일 타입에서 xml 을 검색합니다.
2. XML 아래 XML File 을 선택합니다.
3. Next 를 클릭합니다.

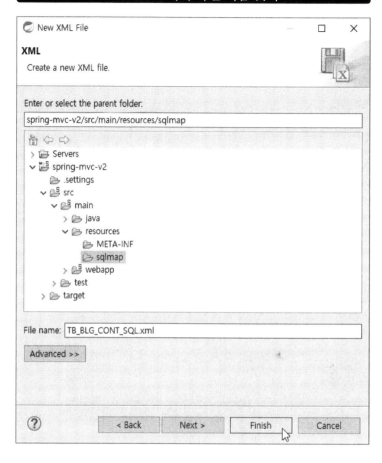

1. 폴더가 sqlmap 아래인지 확인합니다.
2. 파일 이름을 `TB_BLG_CONT_SQL.xml` 로 입력합니다.
3. Finish 버튼을 클릭합니다.

생성된 파일 내용은 다음과 같습니다.

```
<?xml version="1.0" encoding="UTF-8"?>
```

매퍼 XML 파일 이름은 무엇이든 상관없습니다만, `db-context.xml` 에
정의한 대로 `sqlmap` 폴더 아래에 있어야 하고 `_SQL.xml` 로 끝나야
합니다.

> 프로젝트에 투입되시면 컨텍스트 파일에 정의된 파일명 규
> 칙을 확인하시면 "왜 안돼지?" 라는 실수를 줄이실 수 있습
> 니다.

흔히들 프로젝트에서는 `{테이블 이름}_SQL.xml` 형식으로 매퍼 파일
명을 짓습니다. 해당 테이블이 사용되는 쿼리를 직관적으로 찾기 위해
서입니다.
우리도 `TB_BLG_CONT` 테이블에 데이터를 입력하는 쿼리를 작성할 예
정이기 때문에 파일명은 `TB_BLG_CONT_SQL.xml` 입니다.
파일명 컨벤션은 프로젝트의 성격에 따라 다르지만, 어떻게든 원칙은
있어야 합니다.

06.01.08. 매퍼 dtd 및 패키지 지정

```
TB_BLG_CONT_SQL.xml ⊠
1 <?xml version="1.0" encoding="UTF-8"?>
2 <!DOCTYPE mapper PUBLIC "-//mybatis.org//DTD Mapper 3.0//EN" "http://mybatis.org/dtd/mybatis-3-mapper.dtd">
3 <mapper namespace="TB_BLG_CONT">
4
5 </mapper>
```

/src/main/resources/sqlmap/TB_BLG_CONT_SQL.xml
```
<!DOCTYPE  mapper PUBLIC "-//mybatis.org//DTD Mapp
er 3.0//EN" "http://mybatis.org/dtd/mybatis-3-mapp
er.dtd">
<mapper namespace="TB_BLG_CONT">
</mapper>
```

1. 생성된 `TB_BLG_CONT_SQL.xml` 파일을 엽니다.
2. `<?xml version="1.0" encoding="UTF-8"?>` 아래줄에 위 코드를 입력합니다.

XML DTD 는 XML이 정의하는 언어 형식을 정의하는 파일입니다.

```
<!DOCTYPE  mapper PUBLIC "-//mybatis.org//DTD Mapper 3.0//EN" "http://mybatis.org/dtd/mybatis-3-mapper.dtd">
```

이 구문에 따라 http://mybatis.org/dtd/mybatis-3-mapper.dtd 에 정의된 규칙이 해당 XML에 사용된다는 것을 뜻합니다.

매퍼 파일은 `<mapper` 로 시작하고, `</mapper >`로 끝납니다. 그 사이에 쿼리를 작성하게 됩니다.

```
<mapper namespace="TB_BLG_CONT">
</mapper>
```

매퍼의 네임스페이스(namespace)는 이름 공간을 나타냅니다. 네임스페이스를 정의함으로써 여러 매퍼 파일에 같은 이름의 쿼리가 있더라도 각각을 구분할 수 있게 됩니다.

```
TB_BLG_CONT_SQL.xml
 1  <?xml version="1.0" encoding="UTF-8"?>
 2  <!DOCTYPE mapper PUBLIC "-//mybatis.org//DTD Mapper 3.0//EN" "http://mybatis.org/dtd/mybatis-3-mapper.dtd">
 3  <mapper namespace="TB_BLG_CONT">
 4      <insert id="insert" parameterType="hashMap">
 5          <selectKey keyProperty="seq_blg_cont" resultType="java.lang.Integer" order="BEFORE">
 6              select SEQ_BLG_CONT.NEXTVAL from dual
 7          </selectKey>
 8          <![CDATA[
 9          insert into TB_BLG_CONT
10          (BLG_CONT_SEQ, TITLE, CONT_BDY)
11          values
12          (#{seq_blg_cont}, #{title}, #{content_body})
13          ]]>
14      </insert>
15  </mapper>
```

/src/main/resources/sqlmap/TB_BLG_CONT_SQL.xml

```xml
<insert id="insert" parameterType="hashMap">
    <selectKey keyProperty="seq_blg_cont" resultType="java.lang.Integer" order="BEFORE">
        select SEQ_BLG_CONT.NEXTVAL from dual
    </selectKey>
    <![CDATA[
    insert into TB_BLG_CONT
    (BLG_CONT_SEQ, TITLE, CONT_BDY)
    values
    (#{seq_blg_cont}, #{title}, #{content_body})
    ]]>
</insert>
```

1. `<mapper` 태그와 `</mapper>` 태그 사이에 위의 코드를 입력합니다.

`<insert` 태그는 마이바티스에서 데이터 입력(insert)을 나타내는 태그입니다.

`<insert id="insert" parameterType="hashMap">`

- `id` : 패키지 안에서 쿼리를 구분하는 유일한 식별자 역할을 합니다.

198

- `parameterType` : 쿼리에 적용할 파라미터 타입입니다. 첫번째 예제에서는 `Map` 타입을 이용하는 방법을 사용합니다. 다만 `M ap` 은 인터페이스이므로 구현 클래스인 `hashMap` 을 설정했습니다.

`<selectKey` 태그는 마이바티스에서 키를 추출하는 역할을 합니다.

```
<selectKey keyProperty="seq_blg_cont" resultType="
java.lang.Integer" order="BEFORE">
    select SEQ_BLG_CONT.NEXTVAL from dual
</selectKey>
```

오라클은 PK 자동 증가 기능이 없고 대신 시퀀스를 추출한 다음 넣는 형식이었죠? 따라서 시퀀스를 먼저 추출하는 것이 필요합니다.

- `keyProperty` : `<selectKey` 안의 쿼리가 실행된 결과를 `keyP roperty` 의 값에 담아줍니다. 예제에서 `select SEQ_BLG_CONT .NEXTVAL from dual` 쿼리의 결과를 `seq_blg_cont` 라는 이름으로 쓸 수 있게 되는 겁니다.
- `resultType` : 리턴할 타입입니다. 오라클 시퀀스가 number 형이므로 자바의 Integer 로 작성했습니다.
- `order` : `<selectKey` 태그가 입력 쿼리보다 먼저 실행될 지, 나중에 실행될 지를 결정합니다. 시퀀스를 먼저 추출해야 하므로 `BEFORE` 로 지정했습니다.

오라클에서 다음 시퀀스만 가져오기 위해서는 `{시퀀스 이름}.NEXTV AL` 을 사용했습니다.

```
select SEQ_BLG_CONT.NEXTVAL from dual
```

199

`dual` 은 오라클에서만 쓰는 가상의 객체입니다. 오라클은 `from` 절 없이 조회 쿼리가 실행되지 않기 때문에 `select` 절만 필요한 경우 `from dual` 을 붙여줘야 합니다.

`<![CDATA[` 안에 쿼리를 작성합니다.

| `<![CDATA[`

`<![CDATA[` 항목은 원시(Raw) 문자열의 시작을 나타냅니다.
`<![CDATA[` 안에 있는 문자열은 `<` 등의 태그 문자가 있더라도 태그로 인식하지 않습니다.
쿼리에는 비교 연산자 `>`, `>=`, `<`, `<=` 등이 자주 쓰이므로, 충돌을 방지하기 위해서 `<![CDATA[` 를 사용합니다.

데이터를 입력하는 SQL 쿼리입니다.

```
insert into TB_BLG_CONT
(BLG_CONT_SEQ, TITLE, CONT_BDY)
values
(#{seq_blg_cont}, #{title}, #{content_body})
```

쿼리를 하나씩 해석해 보겠습니다. `TB_BLG_CONT` 테이블에 데이터를 입력합니다.

| `insert into TB_BLG_CONT`

입력할 열은 `BLG_CONT_SEQ, TITLE, CONT_BDY` 입니다.

```
(BLG_CONT_SEQ, TITLE, CONT_BDY)
```

입력할 행(데이터)는 #{seq_blg_cont}, #{title}, #{content_body} 입니다.

```
values
(#{seq_blg_cont}, #{title}, #{content_body})
```

열 순서에 따라 열과 행은 다음과 같이 매칭됩니다.

- `BLG_CONT_SEQ`, #{seq_blg_cont} : `BLG_CONT_SEQ` 열에는 #{seq_blg_cont} 값이 들어갑니다.
- `TITLE`, #{title} : `TITLE` 열에는 #{title} 값이 들어갑니다.
- `CONTENT`, #{content_body} : `CONTENT` 열에는 #{content_body} 값이 들어갑니다.

마이바티스는 쿼리가 실행될 때 파라미터를 치환합니다. 이를 플레이스홀더(placeholder)라고 부르는데요. #{값} 형식으로 표현합니다. 예를 들어서 파라미터 `map.get("title")` = `"제목"` 형태가 마이바티스 쿼리 XML에 전달되면 마이바티스는 #{title} 을 '제목' 으로 자동 변환합니다.

> 정확히 말하면 JDBC의 `PreparedStatement` 기능을 이용하는 것이지만, 지금 단계에서는 쿼리에 값을 전달할 때는 플레이스홀더를 이용해야 한다는 정도만 기억해 주세요.

> 직접 문자열을 조합하지 않고 이런 방법을 쓰는 이유는 SQL Injection 이라고 부르는 외부 공격을 막기 위함입니다. 즉 사용자의 입력을 걸러내서 비정상적인 쿼리가 실행되는 것을 방지하기 위해 사용됩니다.

플레이스 홀더의 이름에 대해서 잠깐 살펴보겠습니다.
`#{seq_blg_cont}` 는 `selectKey` 로 추출해 낸 시퀀스입니다.

```
<selectKey keyProperty="seq_blg_cont"
```

`#{title}`, `#{content_body}` 는 매개변수로 전달받은 `hashMap` 타입 객체의 키 이름입니다.

```
<insert id="insert" parameterType="hashMap">
```

`]]>` 로 원시 문자열을 끝냅니다.

```
]]>
```

06.02. DAO 클래스 생성

DAO 클래스는 Data Access Object의 약자로, 이름처럼 "데이터에 접근하는 객체" 입니다. 매퍼 XML에 작성한 쿼리를 실행시키기 위해 작성하므로 매퍼 XML과 한 쌍입니다.

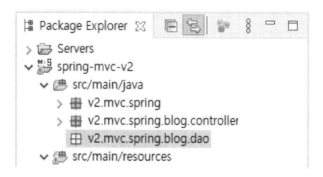

1. `src/main/java` 아래에 `v2.mvc.spring.blog.dao` 패키지를 생성합니다.

06.02.03. 패키지 계층 형식으로 보기 활성화

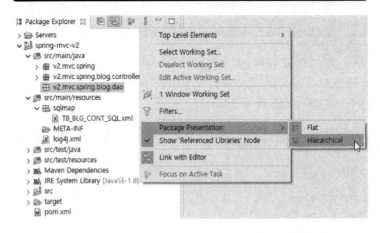

1. 패키지 탐색기 오른쪽에 세로로 점 세개가 나 있는 아이콘을
   누릅니다.
2. Package Presentation을 선택합니다.
3. Flat으로 선택되어 있는 항목을 Hierarachical 로 변경합니다.

06.02.04. 패키지 계층 형식로 보기 결과

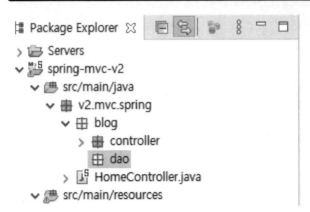

1. `v2.mvc.spring` > `blog` > 아래에 `controller` 와 `dao` 가 위
   치한 것을 확인합니다.

패키지를 계층으로 보는 것은 필수는 아닙니다만, 우리가 폴더를 정리하듯이 특정 패키지 아래에 controller, dao, service 등 필요한 계층들을 모아두는 경우가 많습니다.
이런 경우 패키지를 계층으로 보는 것이 편리할 때가 많아서 패키지를 보는 형식을 변경해 봤습니다.

06.02.05. BlogDAO 클래스 생성

```
1 package v2.mvc.spring.blog.dao;
2
3 public class BlogDAO {
4
5 }
6
```

1. dao 패키지에 BlogDAO 클래스를 생성합니다.

06.02.06. Repository 어노테이션 추가

```
BlogDAO.java ⊠
1 package v2.mvc.spring.blog.dao;
2
3 @Repository
4 public class BlogDAO {
5
6 }
7
```

/src/main/java/v2/mvc/spring/blog/dao/BlogDAO.java

```
@Repository
```

1. 클래스 정의 위에 @Repository 어노테이션을 추가합니다.

@Repository 어노테이션은 데이터에 접근하는 클래스임을 명시합니다. 다른 스프링 어노테이션처럼 @Repository 어노테이션이 붙은 클래스도 스프링이 빈으로 관리합니다.

06.02.07. SqlSessionTemplate 타입 멤버변수 선언

```java
BlogDAO.java ✕
1 package v2.mvc.spring.blog.dao;
2
3 @Repository
4 public class BlogDAO {
5     SqlSessionTemplate sqlSessionTemplate;
6 }
7
```

```
/src/main/java/v2/mvc/spring/blog/dao/BlogDAO.ja
va
SqlSessionTemplate sqlSessionTemplate;
```

1. 클래스 내부에 sqlSessionTemplate 멤버변수를 선언합니다.

----

sqlSessionTemplate 멤버변수는 매퍼 XML을 실행시키기 위해 필요합니다.

06.02.08. Autowired

```java
*BlogDAO.java ⋈
1  package v2.mvc.spring.blog.dao;
2
3  @Repository
4  public class BlogDAO {
5      @Autowired
6      SqlSessionTemplate sqlSessionTemplate;
7  }
8
```

/src/main/java/v2/mvc/spring/blog/dao/BlogDAO.ja
va
@Autowired

1. sqlSessionTemplate 멤버변수 위에 @Autowired 어노테이
   션을 붙입니다.

SqlSessionTemplate 타입 객체는 new 키워드를 통해 직접 생성하
지 않습니다. 대신 스프링의 의존성 주입(Dependency Injection - DI)
를 통해 주입받게 되죠.
멤버변수 위에 @Autowired 어노테이션을 붙이면 의존성을 주입하라
는 뜻입니다. 이처럼 멤버변수 위에 @Autowired 를 붙여서 의존성을
주입받는 방식을 필드 주입(Field Injection) 이라고 부릅니다.

예제에서 스프링은 미리 만들어 놓은 SqlSessionTemplate 타입 객체
를 BookDao 객체에 주입합니다.
이 과정은 자동으로 스프링에서 서버가 실행될 때 일어나며, 개발자가
직접 sqlSessionTemplate 객체를 생성하는 일 없이 곧바로 사용할
수 있습니다.

그리고 생각해보면 당연한 일이지만, 의존성 주입은 스프링의 빈으로 등록되어 있어야 가능합니다. `sqlSessionTemplate` 는 `db-context.xml` 에 빈으로 등록되어 있기 때문에 곧바로 사용이 가능한 것입니다.

```
src/main/webapp/WEB-INF/spring/db-context.xml
<bean id="sqlSessionTemplate"
    class="org.mybatis.spring.SqlSessionTemplate">
    <constructor-arg index="0" ref="sqlSessionFact
ory" />
</bean>
```

잠깐 스프링이 빈을 만들어내는 방식을 참고삼아 살펴봅니다. 실제 스프링 내부에서의 빈 생성은 의존성이 없는 순서대로 진행되지만, 개발을 할 때 의존성 트리를 따라가기 위해서는 끝 단 객체부터 따라가는 방법밖에 없으므로 이해를 돕기 위해 역으로 거슬러 올라가 보겠습니다.

먼저 `BookDao` 클래스는 `SqlSessionTemplate` 타입 객체를 주입받습니다. 스프링은 `SqlSessionTemplate` 타입 객체를 찾아봅니다. `db-context.xml` 파일에 있네요.

```
<bean id="sqlSessionTemplate"
    class="org.mybatis.spring.SqlSessionTemplate">
    <constructor-arg index="0" ref="sqlSessionFact
ory" />
</bean>
```

`sqlSessionTemplate` 빈은 생성자 매개변수로 `sqlSession Factory` 를 필요로 합니다. 따라서 `id` 가 `sqlSessionFacto` ry 인 객체를 찾습니다.

```
<bean id="sqlSessionFactory"
    class="org.mybatis.spring.SqlSessionFactoryBea
n">
    <property name="dataSource" ref="dataSource" /
>
    <property name="mapperLocations"
        value="classpath:/sqlmap/**/*_SQL.xml" />
</bean>
```

sqlSessionFactory 객체를 만드려고 보니, dataSource 라는 객체가 필요하다고 합니다. 다시 찾아봅니다.

```
<bean id="dataSource"
    class="org.apache.commons.dbcp2.BasicDataSourc
e"
    destroy-method="close">
    <property name="driverClassName"
        value="oracle.jdbc.driver.OracleDriver" />
    <property name="url"
        value="jdbc:oracle:thin:@localhost:1521:xe
" />
    <property name="username" value="SPRNG_BLG_USR
" />
    <property name="password" value="1234" />
</bean>
```

이제 BookDAO 타입 객체 생성에 필요한 모든 빈(SqlSessio
nTemplate , sqlSessionFactory , dataSource)가 준비되었습니다.

```
BlogDAO.java ⊠
 1  package v2.mvc.spring.blog.dao;
 2
 3⊖ import org.mybatis.spring.SqlSessionTemplate;
 4  import org.springframework.beans.factory.annotation.Autowired;
 5  import org.springframework.stereotype.Repository;
 6
 7  @Repository
 8  public class BlogDAO {
 9⊖     @Autowired
10      SqlSessionTemplate sqlSessionTemplate;
11  }
12
```

1. ctrl + shift + o 키를 눌러보세요.

자동으로 코드의 빨간 줄이 없어지면서 코드에서 사용한 객체들의 패
키지들을 코드에 추가해 주는 것을 볼 수 있습니다. 이 기능은 없는 패
키지를 추가해 줄 뿐만 아니라, 코드 수정으로 인해 더이상 사용하지
않는 패키지도 코드에서 제거해주는 역할을 합니다.

실무에 들어가면 ~~단축키로 하면 뭔가 그럴듯해 보이기도 하고~~ 한글자
라도 적게 입력하고 싶은 개발자들의 염원을 가장 잘 실천시켜 주는 단
축키이기도 하므로 꼭 손에 익혀두시길 추천드립니다.

06.03. DAO 클래스에 insert 메서드 작성

DAO 클래스에서 매퍼 XML의 쿼리를 실행하는 방법을 알아봅니다.

06.03.02. insert 메서드 추가

```java
🗋 BlogDAO.java ⨯
 1  package v2.mvc.spring.blog.dao;
 2
 3  import java.util.Map;
 4
 5  import org.mybatis.spring.SqlSessionTemplate;
 6  import org.springframework.beans.factory.annotation.Autowired;
 7  import org.springframework.stereotype.Repository;
 8
 9  @Repository
10  public class BlogDAO {
11      @Autowired
12      SqlSessionTemplate sqlSessionTemplate;
13
14      public int insert(Map<String, Object> map) {
15          int result = this.sqlSessionTemplate.insert("TB_BLG_CONT.insert", map);
16          if (result > 0 && map.containsKey("seq_blg_cont")) {
17              return (int) map.get("seq_blg_cont");
18          }
19
20          return -1;
21      }
22  }
```

/src/main/java/v2/mvc/spring/blog/dao/BlogDAO.java

```java
public int insert(Map<String, Object> map) {
    int result = this.sqlSessionTemplate.insert("T
B_BLG_CONT.insert", map);
    if (result > 0 && map.containsKey("seq_blg_con
t")) {
        return (int) map.get("seq_blg_cont");
    }

    return -1;
}
```

1. BlogDAO 클래스에 insert 메서드를 입력합니다.

2. 자동 불러오기(ctrl + shift + o) 단축키를 통해 필요한 패
   키지를 불러옵니다.

의존성 주입으로 생성된 sqlSessionTemplate 객체를 이용해서 매퍼
를 실행시킵니다.

```
int result = this.sqlSessionTemplate.insert("TB_BL
G_CONT.insert", map);
```

---

insert 메서드의 첫번째 매개변수는 {매퍼의 패키지}.{매퍼 id}
입니다.

```
this.sqlSessionTemplate.insert("TB_BLG_CONT.insert
",
```

기억을 되살리기 위해 다시한번 TB_BLG_CONT_SQL.xml 파일을 살펴
봅시다.

```
/src/main/resources/sqlmap/TB_BLG_CONT_SQL.xml
<mapper namespace="TB_BLG_CONT">
    <insert id="insert" parameterType="hashMap">
```

namespace 는 TB_BLG_CONT , id 는 insert 입니다.

---

sqlSessionTemplate.insert 메서드의 두 번째 인수는 매퍼 XML에
작성된 쿼리에 전달할 데이터입니다.

```
"TB_BLG_CONT.insert", map);
```

예제에서는 `Map` 타입 데이터 `map` 을 전달했습니다. 그리고 `map` 변수는 DAO의 `insert` 메서드의 매개변수였죠.

```
/src/main/java/v2/mvc/spring/blog/dao/BlogDAO.ja
va
public int insert(Map<String, Object> map)
```

따라서 전달받은 파라미터를 그대로 매퍼 XML에 전달한 셈이 됩니다. **BlogDAO.insert** 메서드 입장에서는 실제로 어떤 파라미터를 마이바티스에 전달하는지 모르는 것입니다.

`sqlSessionTemplate.insert` 의 반환값은 "영향받은 행 수"입니다.

```
int result = this.sqlSessionTemplate.insert
```

따라서 `result` 변수에는 1(입력 성공) 혹은 0(입력 실패) 둘 중 하나가 담기게 됩니다.

> 간혹 `result` 변수에 데이터 입력 후 생성된 데이터의 PK가
> 담긴다고 생각할 수도 있기 때문에 반환값에 주의할 필요가
> 있습니다.

`insert` 쿼리가 실행되고 나면 파라미터로 전달된 `map` 객체에 `seq_blg_cont` 항목이 생깁니다.

쿼리가 실행되기 전의 데이터는 이런 식으로 담겨있었다고 가정해 보겠습니다.

```
{
  "title": "제목",
  "content_body": "본문"
}
```

쿼리가 실행된 후의 데이터는 이렇게 변합니다.

```
{
  "title": "제목",
  "content_body": "본문",
  "seq_blg_cont" : 2
}
```

이 설정은 매퍼 SQL에서 결정됩니다.

/src/main/resources/sqlmap/TB_BLG_CONT_SQL.xml
```
<selectKey keyProperty="seq_blg_cont"
```

따라서 성공적으로 입력이 되었다고 확신하려면 영향받은 행 수가 1
이상이어야 하고, `map` 객체에 `seq_blg_cont` 키가 있어야 합니다.

```
if (result > 0 && map.containsKey("seq_blg_cont"))
{
```

입력에 성공했다면, PK를 리턴합니다.

```
return (int) map.get("seq_blg_cont");
```

만약 실패했다면, `-1` 을 되돌려서 실패임을 알립니다.

```
return -1;
```

06.04. 서비스 인터페이스 추가

06.04.01. 서비스 인터페이스 추가 개요

이번 챕터에서는 서비스 인터페이스를 추가합니다.

서비스란, 비즈니스 로직이 위치하는 곳입니다. 스프링 MVC 구조에서는 컨트롤러와 DAO를 연결하고, DAO에 보낼 매개변수를 가공하거나, DAO에서 받은 결과를 가공해서 돌려주는 역할을 합니다.

자바의 인터페이스는 "설계"의 역할을 합니다. 인터페이스는 구현 클래스가 없고 메서드 시그니쳐(공개 범위, 메서드 이름, 매개변수, 반환값)만 정의하기 때문에 "구체적으로 어떻게 만들지는 모르겠지만 일단 이런 기능이 필요해"라는 것을 정의할 때 사용됩니다.

스프링 MVC에서 서비스 레이어는 인터페이스와 클래스를 함께 사용합니다. 스프링은 직접 클래스를 생성하는 것을 지양하고 인터페이스를 통해 접근하는 것을 권장하는 프레임워크이기 때문입니다.

다만 이런 ~~현실을 무시하고 이론에만 충실한~~ 기조는 무조건 인터페이스 + 해당 구현 클래스가 필요하기 때문에 너무 구현 클래스가 복잡해진다는 단점이 있어서 최근에는 거의 사용되지 않습니다. 그렇지만 역시 우리는 그것만이 정답인 줄 알았던 시절에 작성된 코드도 읽고 쓸 수 있어야 하기 때문에, 스프링 MVC 시대의 정답 스타일을 따라 코드를 작성하겠습니다.

- Package Explorer ⊠
- > Servers
- ∨ spring-mvc-v2
  - ∨ src/main/java
    - ∨ v2.mvc.spring
      - ∨ blog
        - > controller
        - > dao
        - service
      - > HomeController.java

1. blog 패키지 아래에 service 패키지를 추가합니다.

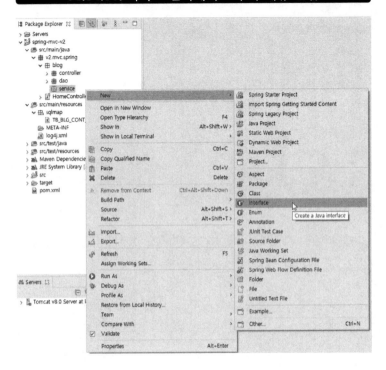

1. service 메뉴를 우클릭합니다.
2. New 를 선택합니다.
3. Interface를 선택합니다.

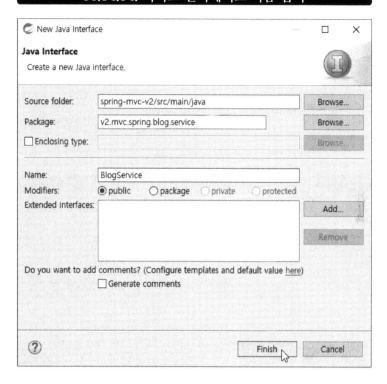

1. 이름을 BlogService 로 입력합니다.
2. Finish 버튼을 클릭합니다.

06.04.05. 서비스 인터페이스 생성 확인

```
Package Explorer             BlogService.java
> Servers                     1 package v2.mvc.spring.blog.service;
v spring-mvc-v2               2
  v src/main/java             3 public interface BlogService {
    v v2.mvc.spring           4
      v blog                  5 }
        > controller          6
        > dao
        v service
          > BlogService.java
```

1. 서비스 인터페이스가 생성된 것을 확인합니다.

06.04.06. 메서드 시그니처 작성

```
BlogService.java
 1 package v2.mvc.spring.blog.service;
 2
 3 public interface BlogService {
 4     int create(Map<String, Object> map);
 5 }
 6
```

```
/src/main/java/v2/mvc/spring/blog/service/BlogSe
rvice.java
int create(Map<String, Object> map);
```

1. 상기 코드처럼 메서드 시그니처를 작성합니다.

형태는 DAO와 똑같이 map 을 매개변수로 받아서 int 를 반환하는 메서드입니다.

> DAO와 다르게 서비스의 메서드 이름은 create 입니다. 이는 데이터를 바라보는 관점의 차이 때문인데요.

RDBMS 세계에서 데이터는 "삽입" 되는 것이기 때문에 `insert` 라고 합니다. DAO는 데이터베이스를 다루는 레이어기 때문에 `insert` 라고 메서드를 붙였습니다.

반면 서비스 관점에서는 그게 어디에 저장되는지는 모르겠고(DAO가 알아서 할 테고), 서비스는 데이터를 생성하는 역할을 할 뿐입니다. 따라서 `create` 라고 이름붙입니다.

SI 현장처럼 빠르게 코드가 작성되어야 하는 경우에는 ~~그냥 귀찮으니까~~ 메소드 명을 통일하기 위해 `insert` 라고 메서드 이름을 짓는 경우도 있습니다. 코드 품질을 조금이라도 더 중요시하는 회사에서는 `create` 라고 이름짓기도 하죠. ~~대부분의 프로젝트에서는~~ ~~insert~~, ~~create~~, ~~add~~, ~~save~~ ~~등이 혼재된 상태이므로 메소드 명은 믿지 마세요.~~

06.04.07. 메서드 시그니처 자동 불러오기

```java
BlogService.java ✕
1  package v2.mvc.spring.blog.service;
2
3  import java.util.Map;
4
5  public interface BlogService {
6      int create(Map<String, Object> map);
7  }
8
```

1. `map` 패키지를 자동 불러오기로 가져옵니다.

인터페이스라고 해서 모르는 타입을 그냥 넘어갈 만큼 자바는 만만한 언어가 아닙니다. 패키지를 명시해 줍시다.

06.05. 서비스 클래스 추가

서비스는 비즈니스 로직을 구현하는 레이어이기 때문에 인터페이스만
으로는 동작하지 않습니다. 즉, 반드시 구현 클래스가 필요합니다.
서비스 인터페이스를 만들었으니 인터페이스에 해당하는 서비스 클래
스를 추가해 보겠습니다.

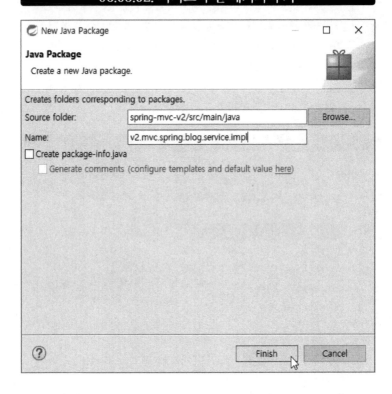

1. `v2.mvc.spring` > `blog` > `service` 아래에 `impl` 패키지를
   생성합니다.

> `impl` 은 `implements` 의 약자로 인터페이스를 구현하는 패
> 키지에 관용적으로 붙이는 접미어입니다.

06.05.03. 서비스 구현 패키지 생성 확인

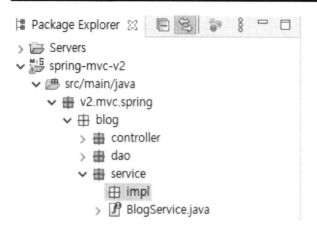

1. 서비스 구현 패키지가 정상적으로 생성되었는지 확인합니다.

1. 서비스 패키지에 새로운 클래스를 생성합니다.
2. 이름을 `BlogServiceImpl` 로 입력합니다.

1. interfaces 오른쪽의 Add 버튼을 클릭합니다.

06.05.06. 서비스 구현 클래스 인터페이스 검색

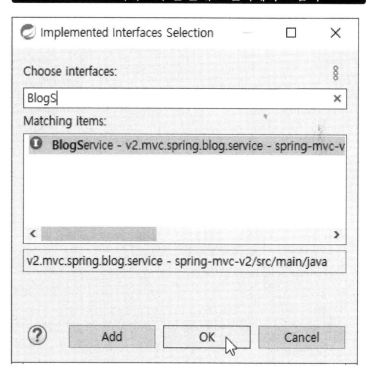

1. BlogService 를 검색합니다.
2. BlogService 인터페이스가 보여지면 선택합니다.
3. OK 버튼을 클릭합니다.

06.05.07. 서비스 구현 클래스 정보 확인

New Java Class — □ ✕

Java Class
Create a new Java class.

Source folder:	spring-mvc-v2/src/main/java	Browse...
Package:	v2.mvc.spring.blog.service.impl	Browse...
☐ Enclosing type:		Browse...

Name: BlogServiceImpl

Modifiers: ◉ public ○ package ○ private ○ protected
☐ abstract ☐ final ☐ static

Superclass: java.lang.Object — Browse...

Interfaces: ⊙ v2.mvc.spring.blog.service.BlogService — Add...
Remove

Which method stubs would you like to create?
☐ public static void main(String[] args)
☐ Constructors from superclass
☑ Inherited abstract methods

Do you want to add comments? (Configure templates and default value here)
☐ Generate comments

? Finish Cancel

1. 클래스 정의에 인터페이스가 추가되었는지 확인합니다.

```
 1  package v2.mvc.spring.blog.service.impl;
 2
 3  import java.util.Map;
 6
 7  public class BlogServiceImpl implements BlogService {
 8
 9      @Override
10      public int create(Map<String, Object> map) {
11          // TODO Auto-generated method stub
12          return 0;
13      }
14
15  }
```

1. 자동으로 create 메서드 스텁이 생성되었는지 확인합니다.

자바의 인터페이스에 선언된 메소드는 구현 클래스에서 반드시 구현
해야 하기 때문에, 자동으로 STS가 메서드 스텁(stub)을 생성해 주었
습니다.

> 스텁이란 "임시 코드"라는 뜻으로, 실제 구현 클래스로 바꿔
> 야 할 코드를 말합니다.

06.06. 서비스 생성자 주입

06.06.01. 생성자 주입 개요

생성자를 통해 의존성을 주입하는 것을 생성자 주입이라고 합니다. 생성자의 매개변수로 빈으로 관리되는 클래스를 정의해 두면, 스프링이 빈 인스턴스를 생성하고 클래스를 생성할 때 생성자의 매개변수로 전달해 줍니다.

필드 주입이 인스턴스를 생성한 다음 리플렉션을 통해 인스턴스에 빈을 주입하는 방식인데 반해, 생성자 주입은 주입될 빈들을 미리 만들어 놓고 객체가 생성될 때 생성자를 통해 주입합니다.
결과는 차이가 없고, 생성자 주입이 코드를 더 많이 작성해야 하므로 번거롭기는 합니다만, 안전한 객체 생성이라는 면에서 장점이 있기 때문에 스프링 진영에서는 생성자 주입을 추천합니다.

> 다만 우리나라에서 스프링 MVC가 한참 쓰일 때는 생성자 주입이 그리 활성화되지 않던 터라 대부분은 필드 주입을 사용하는 경우가 많을 겁니다. 생성자 주입이 더 장점이 있다고 코드에 적용해 버리시면 전체 코드가 일관성이 없어져서 더 혼란스러워지므로 프로젝트의 상황에 따라 사용하세요.

BlogServiceImpl.java ✕

```java
 1 package v2.mvc.spring.blog.service.impl;
 2
 3 import java.util.Map;
 4
 5 import org.springframework.beans.factory.annotation.Autowired;
 6 import org.springframework.stereotype.Service;
 7
 8 import v2.mvc.spring.blog.dao.BlogDAO;
 9 import v2.mvc.spring.blog.service.BlogService;
10
11 @Service
12 public class BlogServiceImpl implements BlogService {
13
14     private BlogDAO blogDAO;
15
16     @Autowired
17     public BlogServiceImpl(BlogDAO blogDAO) {
18         this.blogDAO = blogDAO;
19     }
20
21     @Override
22     public int create(Map<String, Object> map) {
23         // TODO Auto-generated method stub
24         return 0;
25     }
26 }
```

```
/src/main/java/v2/mvc/spring/blog/service/impl/B
logServiceImpl.java
```
```java
private BlogDAO blogDAO;

@Autowired
public BlogServiceImpl(BlogDAO blogDAO) {
    this.blogDAO = blogDAO;
}
```

1. 서비스 구현 클래스 파일을 엽니다.
2. 생성자 주입 코드를 작성합니다.
3. 자동 불러오기 로 패키지들을 불러옵니다.

229

클래스 안에 멤버변수 `blogDAO` 를 선언합니다.

```
private BlogDAO blogDAO;
```

`BlogServiceImpl` 클래스의 생성자를 작성합니다. 이 때 매개변수는 `BlogDAO` 타입 변수여야 합니다.

```
public BlogServiceImpl(BlogDAO blogDAO) {

}
```

생성자의 매개변수를 클래스의 멤버변수에 바인딩합니다.

```
this.blogDAO = blogDAO;
```

`@Autowired` 어노테이션을 생성자에 붙입니다.

```
@Autowired
```

> 생성자 주입의 경우 해당 클래스에 생성자가 하나만 있다면 생성자 메소드 위에 `@Autowired` 어노테이션이 없어도 됩니다. 하지만 생성자가 하나만 있더라도 코드의 명확성을 위해서 `@Autowired` 어노테이션을 붙이는 습관을 붙이시는 것을 추천합니다.

06.07. 서비스 입력 메서드 내용 교체

STS가 자동으로 만들어 준 스텁 메서드를 변경해서 실제 서비스 내용
으로 변경하겠습니다.

```java
📄 BlogServiceImpl.java ⌤
 1  package v2.mvc.spring.blog.service.impl;
 2
 3⊖ import java.util.Map;
 4
 5  import org.springframework.beans.factory.annotation.Autowired;
 6
 7  import v2.mvc.spring.blog.dao.BlogDAO;
 8  import v2.mvc.spring.blog.service.BlogService;
 9
10  public class BlogServiceImpl implements BlogService {
11
12      private BlogDAO blogDAO;
13
14⊖     @Autowired
15      public BlogServiceImpl(BlogDAO blogDAO) {
16          this.blogDAO = blogDAO;
17      }
18
19⊖     @Override
20      public int create(Map<String, Object> map) {
21          int seq = this.blogDAO.insert(map);
22          return seq;
23      }
24  }
25
```

```
/src/main/java/v2/mvc/spring/blog/service/impl/B
logServiceImpl.java
@Override
public int create(Map<String, Object> map) {
    int seq = this.blogDAO.insert(map);
    return seq;
}
```

1. 기존의 스텁 메서드 내용을 삭제합니다.

231

2. 위 내용을 입력합니다.

단순히 `BlogDAO.insert` 메서드를 호출하는 코드입니다.

```
int seq = this.blogDAO.insert(map);
```

`blogDAO.insert` 메서드는 PK를 반환하기 때문에 반환값 변수명은
`seq` 입니다.

> 사실 프로그램의 변수명은 `foo` , `bar` 처럼 아무 의미없는
> 이름이어도 상관없이 동작합니다만, 사람이 읽어야 하므로
> 가능하면 의미있는 변수명인 것이 좋습니다. 물론 수정을 반
> 복함에 따라 변수가 원래의 의미를 잃어버려서 전혀 다른 뜻
> 이 되는 경우도 있습니다만, 모른척합시다.

06.08. 서비스 어노테이션 붙이기

06.08.01. 서비스 어노테이션 붙이기 개요

컨트롤러와 마찬가지로, 클래스명이 `service` 나 `serviceImpl` 로 끝
난다고 자동으로 빈이 되는 것은 아닙니다.
빈으로 등록하기 위해 `@service` 어노테이션을 붙여주겠습니다.

06.08.02. 서비스 어노테이션 붙이기

```java
BlogServiceImpl.java

1  package v2.mvc.spring.blog.service.impl;
2
3  import java.util.Map;
4
5  import org.springframework.beans.factory.annotation.Autowired;
6  import org.springframework.stereotype.Service;
7
8  import v2.mvc.spring.blog.dao.BlogDAO;
9  import v2.mvc.spring.blog.service.BlogService;
10
11 @Service
12 public class BlogServiceImpl implements BlogService {
13
14     private BlogDAO blogDAO;
15
16     @Autowired
17     public BlogServiceImpl(BlogDAO blogDAO) {
18         this.blogDAO = blogDAO;
19     }
20
21     @Override
22     public int create(Map<String, Object> map) {
23         int seq = this.blogDAO.insert(map);
24         return seq;
25     }
26 }
27
```

/src/main/java/v2/mvc/spring/blog/service/impl/B
logServiceImpl.java
@Service

1. 클래스 정의 위에 `@Service` 어노테이션을 추가합니다.

2. 자동 불러오기 를 통해 `org.springframework.stereotype.Se`

233

`rvice` 패키지를 불러옵니다.

06.09. 컨트롤러에 서비스 주입

호출할 수 있는 서비스가 준비되었으니, 이제 컨트롤러에 서비스를 주입해 보겠습니다.

```
 8  import v2.mvc.spring.blog.service.BlogService;
 9
10  @Controller
11  public class BlogController {
12
13      @Autowired
14      BlogService blogService;
15
16      @RequestMapping(value="/create", method=RequestMethod.GET)
17      public String create() {
18          return "blog/create";
19      }
20  }
21
```

/src/main/java/v2/mvc/spring/blog/controller/BlogController.java

```
@Autowired
BlogService blogService;
```

1. BlogController 파일을 엽니다.
2. 필드 주입을 이용해 서비스 인터페이스를 주입합니다.

서비스 구현 클래스 blogServiceImpl 이 아니라 blogService 인터페이스를 빈으로 주입받았습니다.

이런 방식은 설계의 유연성을 더하기 위해서인데요. 초기 개발때는 임시 서비스를 호출하다가, 나중에 진짜 서비스가 개발되거나 하면 그 때 바꿔치우기 위한 설계입니다.

현실에서는 코드 변경은 git 등의 scm을 쓰기 때문에 하나의 서비스 인터페이스를 여러 구현 클래스가 구현하는 경우는 ~~본적이 없습니다. 그저 의미없는 코드가 늘어갈 뿐..~~

스프링은 인터페이스가 빈으로 주입되어야 하면 인터페이스를 구현하는 구현 클래스가 있나 찾아봅니다. 그리고 일치하는 대상이 하나라면 구현 클래스를 빈으로 만들어서 주입합니다.
만약 인터페이스를 구현하는 클래스가 두 개 이상이라면 `@Qualifier` 어노테이션을 이용해서 어떤 구현 클래스를 주입할 지도 결정할 수 있습니다. ~~스프링 넌 다 계획이 있구나~~

그렇지만 이렇게 하면 몹시 번거롭고, 다른 사람(혹은 세달 후의 코드 작성자)이 보기에는 빈의 라이프싸이클을 따라가기가 너무 어려우므로 의미론적으로 똑같은 인터페이스를 사용하는 경우가 생기더라도 인터페이스를 두개로 분리하는 경우가 대부분입니다.

일반적으로 컨트롤러에서는 생성자 주입을 쓰지 않습니다. 서비스 레이어가 모두 다 생성자 주입으로 된 프로젝트라고 해도, 컨트롤러는 보통 필드 주입을 사용하더군요. ~~아무리 생각해도 꼭 그래야 할 이유는 없는 것 같은데~~ 이유는 잘 모르겠습니다.

06.10. 컨트롤러 블로그 컨텐츠 저장 메서드 작성

06.10.01. 블로그 컨텐츠 저장 메서드 작성 개요

서비스를 이용해서 블로그 컨텐츠를 저장하는 메서드를 작성합니다.

06.10.02. postCreate 메서드 작성

```
19  @RequestMapping(value="/create", method=RequestMethod.GET)
20  public String create() {
21      return "blog/create";
22  }
23
24  public String postCreate(@RequestParam Map<String, Object> map) {
25      int blogContSeq = this.blogService.create(map);
26      return "redirect:/read/" + String.valueOf(blogContSeq);
27  }
```

/src/main/java/v2/mvc/spring/blog/controller/BlogController.java

```java
public String postCreate(@RequestParam Map<String,
Object> map) {
    int blogContSeq = this.blogService.create(map);
    return "redirect:/read/" + String.valueOf(blog
ContSeq);
}
```

1. create 메서드 아래에 postCreate 메서드를 작성합니다.
2. 자동 불러오기 를 통해 패키지를 채웁니다.

@RequestParam 어노테이션을 통해 HTTP 파라미터를 map 변수에 자동으로 바인딩합니다.

(@RequestParam Map<String, Object> map)

HTTP 매개변수는 클라이언트(브라우저)에서 서버로 전달하는 데이터를 말합니다.

이전에 만들었던 책 생성 화면에서는 "제목", "본문" 2개의 데이터를 서버로 전달하기로 했었는데, 이렇게 서버로 전달되는 데이터를 매개변수(파라미터 - parameter)라고 합니다.

웹 어플리케이션을 만들고 있기 때문에 HTTP 프로토콜(교환 양식 - 데이터를 주고받는 규칙)을 사용하고, 그 규칙에 맞게 데이터를 전달하기 때문에 HTTP 매개변수라고 부릅니다.

`@RequestParam` 어노테이션은 스프링에서 "HTTP 매개변수"임을 나타내는 어노테이션입니다.

스프링은 객체 타입이나 스칼라 타입일 경우 특별한 어노테이션 없이도 HTTP 매개변수를 자바 메서드의 파라미터로 변환해서 컨트롤러 메서드를 호출합니다. 하지만 `Map` 타입의 경우는 예외여서 `@Request Param` 어노테이션을 붙여야만 HTTP 파라미터의 값을 `map` 안에 바인딩해 줍니다.

주입된 서비스 객체의 메서드를 호출합니다.

```
int blogContSeq = this.blogService.create(map);
```

블로그 컨텐츠 보기 페이지로 이동합니다.

```
return "redirect:/read/" + String.valueOf(blogCont
Seq);
```

스프링은 컨트롤러가 반환한 뷰 경로가 `redirect:` 로 시작할 경우 뷰 파일을 찾아가는 것이 아니라 웹 페이지의 주소를 변경합니다.

만약 방금 생성한 블로그 컨텐츠 시퀀스가 3이라면, 리턴하는 값은 `re direct:/read/3` 문자열이므로 localhost:8080/read/3 주소로 이동하게 됩니다.

06.10.03. RequestMapping POST 붙이기

```
24⊕  @RequestMapping(value="/create", method=RequestMethod.POST)
25    public String postCreate(@RequestParam Map<String, Object> map) {
26        int blogContSeq = this.blogService.create(map);
27        return "redirect:/read/" + String.valueOf(blogContSeq);
28    }
```

@RequestMapping(value="/create", method=RequestMet
hod.POST)

1. create 메소드의 @RequestMapping 줄을 복사합니다.
2. PostCreate 메소드 위에 붙여넣습니다.
3. method=RequestMethod.GET 을 method=RequestMethod.POS
   T 로 변경합니다.

데이터를 생성하므로 HTTP POST 메소드 요청을 받도록 정의했습니
다.

@RequestMapping(value="/create", method=RequestMet
hod.POST)

우리가 뷰 파일에서 지정한 메소드와 일치합니다.

/src/main/webapp/WEB-INF/views/blog/create.jsp
```
<form method="post">
```

06.10.04. create 메소드 이름 getCreate 로 변경하기

```
19⊕  @RequestMapping(value="/create", method=RequestMethod.GET)
20    public String getCreate() {
21        return "blog/create";
22    }
```

```
public String getCreate() {
```

1. `create` 메소드 이름을 `getCreate` 로 변경합니다.

이 작업은 필수는 아니지만, `get /create` 요청을 받아들이는 메소드 이름은 `create` 인데 반해 `post /create` 요청을 받아들이는 메소드 이름이 `postCreate` 라면 좀 이상해 보일 겁니다.

그래서 `get /create` 요청을 받아들이는 메소드 이름을 `getCreate` 로 변경합니다.

06.11. 정의로 이동하기

06.11.01. 정의로 이동하기 개요

이번 챕터는 STS 꿀팁 시간입니다.

개발을 진행하다보면, 메소드를 사용하는데 메소드 정의가 궁금한 경우가 있습니다. 그럴 때 메소드 정의를 찾아가는 방법을 알아봅니다.

06.11.02. 정의로 이동하기

```
20
21
22
23
24    @RequestMapping(value="/cr
25    public String postCreate(@
26        int blogContSeq = this.blogService.create(map);
27        return "redirect:/read/" + String.valueOf(blogContSeq);
28    }
29 }
30
```

Types implementing or defining 'BlogService.create(Map<String, Object>)'
 ✓ ⓘ BlogService - v2.mvc.spring.blog.service
     ⓘ BlogServiceImpl - v2.mvc.spring.blog.service.impl

Press Ctrl+T to see the supertype hierarchy

1. `blogService.create` 메소드를 더블클릭해서 선택합니다.
2. `ctrl + t` 버튼을 클릭합니다.
3. 인터페이스를 사용하므로, 인터페이스와 인터페이스 구현 클래스 둘 다 STS가 찾아줍니다.

만약 인터페이스를 사용하지 않는 메소드의 경우 메소드 위에 커서를 올려두고 `F3` 키를 누르면 정의로 이동합니다.

인터페이스 메소드인 경우 `F3` 을 누르면 모든 정의를 찾아주는 `ctrl + t` 와 다르게 인터페이스 정의로 이동합니다.

즉 `ctrl + t` 는 매칭되는 메소드를 찾아주는 기능인 데 반해 `F3` 은 무조건 정의로 이동하는 기능입니다.

06.12. 웹에서 저장 확인

기능을 만들었으니 테스트를 해 보겠습니다. 먼저 웹 페이지가 정상적으로 동작하는지 테스트합니다.

컨텐츠 제목 : 컨트롤러를 통한 저장 테스트

본문

컨트롤러를 통한 저장 테스트
본문 테스트

블로그 컨텐츠 쓰기

1. STS에서 **톰캣 서버**를 시작합니다.
2. 브라우저를 켭니다.
3. 브라우저에서 localhost:8080/create 에 접속합니다.
4. 컨텐츠 제목과 본문을 입력합니다.

5. 블로그 컨텐츠 쓰기 버튼을 클릭합니다.

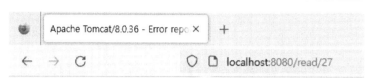

HTTP Status 404 -

type Status report

message

description The requested resource is not available.

Apache Tomcat/8.0.36

1. 페이지가 /read/{숫자} 로 이동되었는지 확인합니다. 주소창
   만 보시면 됩니다.

컨트롤러에서 저장 완료시 /read/{PK} 로 이동하게 코딩했던 것을
다시 복기해 봅니다.

```
/src/main/java/v2/mvc/spring/blog/controller/Blo
gController.java
return "redirect:/read/" + String.valueOf(blogCont
Seq);
```

----

http Status 404 화면이 나왔습니다.

우리는 아직 블로그 컨텐츠를 저장하는 기능만 만들었고, 상세 페이지를 보는 기능은 만들지 않았기 때문에 정상입니다.

---

http 프로토콜은 요청과 응답으로 이루어집니다.

우리가 블로그 컨텐츠 쓰기 버튼을 클릭했을 때 클라이언트(브라우저)에서 서버(스프링)로 전송되는 것을 요청(request) 이라고 합니다. 반대로 서버가 뭔가를 처리한 후 다시 클라이언트에게 결과를 전송하는 것을 응답(response)이라고 하지요.

http 프로토콜은 요청 형식과 응답 형식이 따로 정해져 있습니다. 이 중 응답 형식에는 "상태 코드"라는 것이 있는데요. 간단하게 말하면 서버 처리 결과가 어떤지 숫자로 표기하는 것입니다.

가장 많이 쓰는 상태 코드 몇개만 알아봅니다.

코드	메세지	뜻
200	OK	요청이 성공했습니다.
302	Found	요청한 리소스가 임시로 이동했습니다. 클라이언트는 다음 번 같은 리소스 요청시에도 서버에 요청을 합니다. 주로 POST 등으로 서버 리소스를 변경하고 나서 다른 페이지로 이동할 때 사용합니다.

코드	메세지	뜻
400	Bad Request	서버가 요청을 이해할 수 없습니다.
404	Not Found	요청한 리소스를 찾을 수 없습니다.
405	Method Not Allowed	요청한 리소스는 요청한 메소드에 반응하지 않습니다. 주로 반드시 POST, PUT, DELETE 등 리소스를 변경하는 메소드만 허용하는 리소스를 GET 등으로 요청할 때 응답하는 코드입니다.
500	Internal Server Error	서버에 오류가 발생했습니다. 주로 프로그램이 예상하지 못한 상황에서 오류가 났을 경우 나오는 코드입니다.
504	Gateway Timeout	게이트웨이가 정상 시간 내에 응답할 수 없습니다. 서버에서 처리 시간이 너무 긴 것일 수도 있고, 게이트웨이에 부하가 걸려서 처리를 못하는 상황일 수도 있습니다.

06.13. 데이터베이스에 저장되었는지 확인

06.13.01. 데이터베이스에 저장되었는지 확인 개요

웹에서는 아직 상세 페이지가 없으므로 실제 데이터가 들어갔는지는
확인할 방법이 없습니다. 직접 데이터베이스를 조회해 봅시다.

06.13.02. 데이터 조회

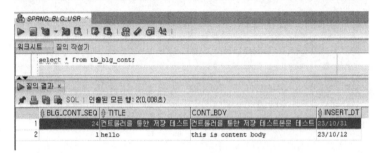

```
select * from tb_blg_cont
```

1. sqldeveloper 를 실행합니다.
2. SPRNG_BLG_USR 계정으로 접속합니다.
3. alt + F10 키를 눌러서 워크시트를 엽니다.
4. 워크시트에 조회 쿼리를 입력합니다.
5. F9 키를 눌러서 실행합니다.
6. 아래에 질의 결과 탭이 열리면서 우리가 입력한 데이터가 나오
   는지 확인합니다.

1. 새로 입력된 데이터 행을 선택합니다.
2. 우클릭합니다.
3. 단일 레코드 뷰를 선택합니다.

질의 결과 탭은 줄바꿈이 정상적으로 보여지지 않기 때문에, 줄바꿈까지 보기 위해 sqldeveloper에서 단일 레코드를 보는 방법을 익혀봅니다.

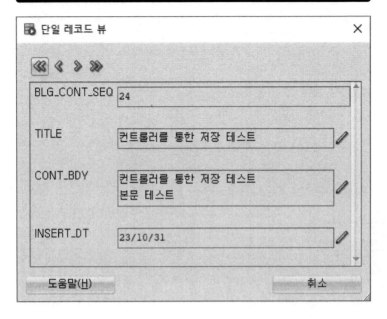

1. CONT_BDY 열의 줄바꿈이 잘 되어 있는지 확인합니다.

07. 블로그 컨텐츠 상세 화면 만들기

07.01. 블로그 컨텐츠 조회 쿼리 작성

07.01.01. 블로그 컨텐츠 조회 쿼리 작성 개요

본격적으로 코딩을 하기 전에, 데이터를 조회하는 쿼리를 작성해 봅니다. 개발을 진행하면서 쿼리를 컨트롤러와 연결하겠습니다.

07.01.02. 블로그 컨텐츠 조회 쿼리 작성하기

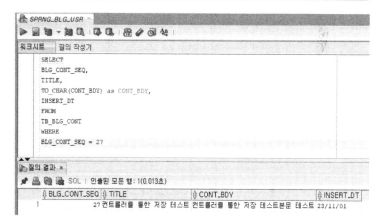

```
SELECT
BLG_CONT_SEQ,
TITLE,
TO_CHAR(CONT_BDY) as CONT_BDY,
INSERT_DT
FROM
TB_BLG_CONT
WHERE
BLG_CONT_SEQ = 1
```

1. sqldeveloper 에 SPRNG_BLG_USR 로 접속합니다.

2. 워크시트를 엽니다.

3. 위 쿼리를 입력합니다.

4. F9를 눌러 쿼리를 실행합니다.

5. 아래에 질의 결과 창이 열리고 행이 1개가 나오는지 확인합니다.

만약 쿼리 결과가 나오지 않는다면 다음의 절차를 따르세요.

1. 워크시트에 `select * from TB_BLG_CONT;` 를 입력하세요.

2. `F9` 로 실행하세요.

3. 결과 중 BLG_CONT_SEQ 열의 값 중 하나를 고릅니다.

4. 처음 실행했던 쿼리에 `1` 대신 선택한 값을 넣습니다.

5. 처음 실행했던 쿼리를 선택합니다.

6. `F9` 로 실행합니다.

`SELECT` 다음부터 `FROM` 전까지는 조회할 열입니다.

```
SELECT
BLG_CONT_SEQ,
TITLE,
TO_CHAR(CONT_BDY) as CONT_BDY,
INSERT_DT
FROM
```

`*` 로 모두 조회할 수 있는데 굳이 열을 나열하는 것은 번거롭다고 생각하시겠지만, 실무에서는 반드시 열을 나열하는 형태로 사용합니다. 사용하지 않는 열을 조회하는 것은 데이터베이스 조회 성능에 영향을 미치기 때문입니다.

이런 이유 때문에 프로젝트 감사(프로그램이 잘 작성되었는지 검증하는 것) 에서는 툴을 이용해 `*` 를 사용했는지 검사합니다. ~~나중에 고생하기 싫으면 지금 조금 번거로운 게 낫습니다.~~

`TO_CHAR` 는 문자열 타입으로 바꾸는 오라클 내장 함수입니다.

> `TO_CHAR(CONT_BDY)`

`CONT_BDY` 열은 NCLOB 타입이기 때문에 마이바티스에서 조회하면 우리가 읽을 수 있는 문자열 형태의 값이 보이는 게 아니라 바이너리 메타 데이터만 보여집니다. 따라서 마이바티스에서 문자열 형태로 읽을 수 있게 하기 위해 문자열 타입으로 캐스팅합니다.

`as` 는 alias, 즉 별칭입니다.

> `as CONT_BDY`

컬럼 뒤에 `as` 를 붙이면, 조회 결과 열 이름이 원래 이름이 아니라 별칭으로 결과를 반환합니다.
`TO_CHAR(CONT_BDY)` 로 바꾼 열의 결과는 익명이 됩니다. 따라서 열을 읽기 위해 이름을 `CONT_BDY` 로 다시 붙여준 것입니다.

---

where 절 다음에는 조건이 들어갑니다.

> `BLG_CONT_SEQ = 1`

`BLG_CONT_SEQ` 열의 값이 1과 일치하는 데이터를 찾아달라는 의미입니다.

자바와는 다르게 같다는 연산자가 == 이 아니라 = 임에 유의하세요.

07.02. 블로그 컨텐츠 컨트롤러 조회 메소드 작성

07.02.01. 블로그 컨텐츠 컨트롤러 조회 메소드 작성 개요

블로그 컨텐츠를 조회하기 위해 컨트롤러에 메소드를 작성합니다.
기존에 블로그 컨텐츠 입력 기능을 [매퍼 => DAO => 서비스 인터페
이스 => 서비스 구현 => 컨트롤러] 순서로 만들었던 것과는 다르게,
이번에는 [컨트롤러 => 서비스 인터페이스 => 서비스 인터페이스 구
현 => DAO => 매퍼 XML] 순서로 만들어 보겠습니다.

저는 개인적으로 매퍼부터 시작하는 전자 스타일을 선호합
니다만, 개발자 분들에 따라서는 후자를 선호하시는 분들도
있으십니다. ~~그런 분이 대충 서비스까지만 만들어놓고 퇴사~~
~~해 버리실 경우 DAO부터 구현해야 하는 경우도 생기므로~~ 다
양한 방법을 익혀봅시다.

07.02.02. 블로그 컨텐츠 컨트롤러 조회 메소드 작성하기

```java
27@    @RequestMapping(value="/create", method=RequestMethod.POST)
28     public String postCreate(@RequestParam Map<String, Object> map) {
29         int blogContSeq = this.blogService.create(map);
30         return "redirect:/read/" + String.valueOf(blogContSeq);
31     }
32
33@    @GetMapping(value = "/read/{blogContSeq}")
34     public String getRead(@PathVariable("blogContSeq") int blogContSeq, Model model) {
35         Map<String, Object> blogCont = this.blogService.read(blogContSeq);
36         model.addAttribute("blogCont", blogCont);
37
38         return "blog/read";
39     }
40 }
```

/src/main/java/v2/mvc/spring/blog/controller/BlogController.java

```
@GetMapping(value = "/read/{blogContSeq}")
public String getRead(@PathVariable("blogContSeq")
int blogContSeq, Model model) {
    Map<String, Object> blogCont = this.blogServic
e.read(blogContSeq);
    model.addAttribute("blogCont", blogCont);

    return "blog/read";
}
```

1. `BlogController.java` 파일을 엽니다.
2. `postCreate` 메소드 아래에 위 메소드를 입력합니다.
3. 자동 불러오기로 빠진 패키지가 있는지 확인합니다.

`@GetMapping` 어노테이션은 `@RequestMapping(value="{주소}", met hod=RequestMethod.GET)` 를 줄여놓은 어노테이션입니다.

```
@GetMapping(value = "/read/{blogContSeq}")
```

그러므로 위 코드는 다음의 코드와 동일합니다.

```
@RequestMapping(value="/read/{blogContSeq}", metho
d=RequestMethod.GET)
```

`@GetMapping` 어노테이션은 스프링 버전 4.3버전부터 사용 가능합니다.

`{blogContSeq}` 는 매개변수를 경로로 입력받는다는 뜻입니다. 아래에 나오는 `@PathVariable` 과 함께 사용합니다.

```
value = "/read/{blogContSeq}
```

/blog/read/1 주소 중 1은 고정된 요청 주소가 아니라 언제든지 바뀔 수 있는 매개변수죠. 이를 처리하는 방법이 경로 매개변수 `pathVariable` 입니다.

`{blogContSeq}` 처럼 다른 값으로 대체될 수 있는 문자열 위치를 플레이스홀더(placeholder)라고 합니다.

자바 메소드 매개변수 `int blogContSeq` 앞에 붙어있는 어노테이션 `@PathVariable` 으로 경로 매개변수를 구할 수 있습니다.

```
@PathVariable("blogContSeq") int blogContSeq
```

`@PathVariable` 의 매개변수 `blogContSeq` 는 `@GetMapping.value` 에 지정한 플레이스홀더와 일치해야 합니다.

```
@PathVariable("blogContSeq")
value = "/read/{blogContSeq}
```

`Model` 은 뷰에 데이터를 전달하는 객체입니다.

```
Model model
```

컨트롤러나 서비스에서 뭔가를 처리하고 난 후에는 뷰를 통해 표시를 해 줘야 하는 경우가 많습니다. 이 때 뷰에 데이터를 전달하는 방법 중 하나가 모델을 사용하는 것입니다.

모델을 쓸 경우 컨트롤러 메소드의 매개변수로 선언합니다.

```
public String getRead(@PathVariable("blogContSeq")
int blogContSeq, Model model) {
```

스프링이 각 요청마다 모델 인스턴스를 생성하고 메소드에 주입해준 다음 모델의 참조를 통해 뷰에 데이터를 전달하기 때문입니다.

서비스의 메소드를 호출해서 데이터를 가져옵니다.

```
Map<String, Object> blogCont = this.blogService.re
ad(blogContSeq);
```

아직 `blogService.read` 메소드는 존재하지도 않습니다. 따라서 아직 빌드도 되지 않습니다만, 아래에서 만드는 방법을 실습하니 흐름만 눈여겨 봐 주세요.

모델에 뷰에 전달할 값을 설정합니다.

```
model.addAttribute("blogCont", blogCont);
```

`addAttribute` 메소드를 통해 뷰에 전달할 값을 설정합니다. 첫번째 인자는 뷰에 전달할 이름, 두번째 인자는 뷰에 전달할 값입니다.

이 코드는 모델에 키를 `"blogCont"` 로 설정하고, 값은 서비스에서 반환한 값 `blogCont` 로 설정한다는 뜻입니다.

07.03. 블로그 컨텐츠 서비스 만들기

07.03.01. 서비스 읽기 인터페이스 메소드 자동 생성하기

```
33  @GetMapping(value = "/read/{blogContSeq}")
34  public String getRead(@PathVariable("blogContSeq") int blogContSeq, Model model) {
35      Map<String, Object> blogCont = this.blogService.read(blogContSeq);
36      model.addAttribute("blogCont", blogCont);
37
38      return "blog/read";
39  }
40  }
41
```

The method read(int) is undefined for the type BlogService

2 quick fixes available:
- Create method 'read(int)' in type 'BlogService'
- Add cast to 'this.blogService'

1. 컨트롤러 메소드 `getRead` 에서 호출하는 서비스 메소드 `rea
   d` 아래 빨간 줄을 확인합니다.
2. 마우스를 `blogService.read` 위에 올립니다.
3. 첫번째 제안 사항 create method 'read(int)' in type 'BlogServ
   ice' 를 클릭합니다.

07.03.02. 서비스 읽기 인터페이스 메소드 자동 생성 확인하기

```
*BlogController.java    *BlogService.java

1  package v2.mvc.spring.blog.service;
2
3  import java.util.Map;
4
5  public interface BlogService {
6      int create(Map<String, Object> map);
7
8      Map<String, Object> read(int blogContSeq);
9  }
10
```

1. BlogService 인터페이스가 자동으로 열리면서 `read` 메소드
   가 추가된 것을 확인합니다.

```
 5  public interface BlogService {
 6      int create(Ma          ct> map);
 7                  Open Declaration
 8      Map<String, Object> read(int blogContSeq);
 9  }
10
```

[팝업: Open Declaration / Open Implementation]

1. `ctrl` 키를 누른 채로 인터페이스 이름 위에 마우스를 올립니다.
2. 팝업 메뉴가 나타납니다.
3. Open Implementation을 선택합니다.
4. 해당 서비스의 구현 클래스 파일이 편집기에 열리는 것을 확인합니다.

```
11  @Service
12  public class BlogServiceImpl implements BlogService {
13
14      private B    The type BlogServiceImpl must implement the inherited abstract method BlogService.read(int)
15                   2 quick fixes available:
16      @Autowire       Add unimplemented methods
17      public Bl       Make type 'BlogServiceImpl' abstract
18          this.blogDAO = blogDAO;
19      }
```

1. 인터페이스를 상속한 클래스에서 구현하지 않은 메소드가 있으면 클래스 이름에 빨간 줄이 생깁니다.
2. 클래스 이름 위에 마우스를 올립니다.
3. Add unimplemented methods 를 클릭합니다.

```
26
27⊖      @Override
28      public Map<String, Object> read(int blogContSeq) {
29          // TODO Auto-generated method stub
30          return null;
31      }
```

1. 서비스 구현 클래스에 만들어준 메서드 read 의 스텁을 확인
   합니다.

07.03.06. 서비스 구현 클래스에서 read 메서드 구현하기

```
27⊖      @Override
28      public Map<String, Object> read(int blogContSeq) {
29          Map<String, Object> blogCont = this.blogDAO.selectOne(blogContSeq);
30          return blogCont;
31      }
```

/src/main/java/v2/mvc/spring/blog/service/impl/B logServiceImpl.java

```
@Override
public Map<String, Object> read(int blogContSeq) {
    Map<String, Object> blogCont = this.blogDAO.se
lectOne(blogContSeq);
    return blogCont;
}
```

1. 간단하게 blogContSeq 를 매개변수로 받아서 DAO 메소드를
   호출하는 코드를 작성합니다.

서비스 메소드 이름이 read 인데 반해 DAO 의 메소드는 selectOne
입니다. 이는 이전에 말씀드린 대로 각각의 객체가 데이터를 바라보는
관점이 다르기 때문입니다.
데이터를 바라보는 관점마다 부르는 이름이 다르기 때문에 간단하게

정리해 보겠습니다.

작업	HTTP	서비스	데이터베이스
생성	POST	create	insert
조회	GET	read	select
수정	PUT or PATCH	edit	update
삭제	DELETE	delete	delete

HTTP에서 PUT하고 PATCH는 미묘하게 다릅니다. PUT은
데이터 전체를 수정하는 데 반해, PATCH는 데이터 일부만
수정하는 메소드거든요.
즉 PATCH가 데이터베이스에서는 update에 해당합니다.
다만 실무에서는 PATCH를 지원하지 않는 HTTP 클라이언
트도 많아서, 실제로는 PUT으로 PATCH를 대체하는 경우도
많습니다.

07.04. 블로그 컨텐츠 DAO 만들기

```
27ⁱ    @Override
28    public Map<String, Object> read(int blogContSeq) {
29        Map<String, Object> blogCont = this.blogDAO.selectOne(blogContSeq);
30        return blogCont;
31    }
32 }
```

```
The method selectOne(int) is undefined for the type BlogDAO
2 quick fixes available:
  ● Create method 'selectOne(int)' in type 'BlogDAO'
  ● Add cast to 'this.blogDAO'
```

1. `read` 메소드의 코드 `selectOne` 위에 커서를 올립니다.
2. 첫번째 제안하는 방법인 Create method … 를 클릭합니다.

서비스 인터페이스에서 읽기 메소드를 구현했던 것과 동일하게 DAO 에도 메소드 스텁을 만들었습니다.

```
23ⁱ    public Map<String, Object> selectOne(int blogContSeq) {
24        // TODO Auto-generated method stub
25        return null;
26    }
```

1. 자동으로 생성된 DAO 메서드 스텁 `selectOne` 을 확인합니다.

```
23ⁱ    public Map<String, Object> selectOne(int blogContSeq) {
24        return this.sqlSessionTemplate.selectOne("TB_BLG_CONT.selectOne", blogContSeq);
25    }
```

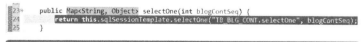

```
/src/main/java/v2/mvc/spring/blog/dao/BlogDAO.ja
va
```

```
return this.sqlSessionTemplate.selectOne("TB_BLG_C
ONT.selectOne", blogContSeq);
```

1. 자동 생성된 스텁 코드를 위 코드로 변경합니다.

261

블로그 컨텐츠를 입력할 때와 마찬가지로 `sqlSessionTemplate` 객체를 이용해서 데이터베이스에 쿼리를 실행시킵니다. 첫번째 매개변수는 `{패키지.id}`, 두번째 매개변수는 마이바티스가 사용할 값 매개변수입니다.

데이터베이스 관점에서는 모든 결과가 "집합"이기 때문에 객체와 집합을 구분하지 않습니다. 데이터가 한건밖에 없다면 그건 그냥 데이터가 한 건밖에 없는 집합입니다.
어플리케이션 관점에서는 결과가 "집합"인 것과 "객체"인 것은 전혀 다릅니다. 집합은 객체가 모여 있는 것이죠.
이 두가지 관점의 차이를 해소하기 위해 마이바티스는 결과를 집합으로 리턴받을지, 객체로 리턴받을 지를 결정할 수 있습니다.
`selectOne` 메소드는 이름에서도 짐작할 수 있듯이 결과를 하나만 리턴받아서 객체 취급하는 메소드입니다. 반면 집합 형식을 리턴받는 메소드 이름은 `selectList` 입니다.

`selectOne` 메소드와 데이터베이스 결과는 다음의 규칙에 따라 정해집니다.

- 데이터베이스가 빈 집합을 반환했을 때 : `null` 을 반환합니다.
- 데이터베이스가 한 건의 데이터를 가진 집합을 반환했을 때 : 해당 결과를 반환합니다.
- 데이터베이스가 두 건 이상의 데이터를 가진 집합을 반환했을 때 : 첫번째 결과만 반환합니다.

07.05. 블로그 컨텐츠 매퍼 작성하기

07.05.01. 매퍼 XML 형태 잡기

```
15  <select id="selectOne" parameterType="java.lang.Integer" resultType="hashMap">
16      <![CDATA[
17
18      ]]>
19  </select>
```

/src/main/resources/sqlmap/TB_BLG_CONT_SQL.xml

```
<select id="selectOne" parameterType="java.lang.In
teger" resultType="hashMap">
    <![CDATA[

    ]]>
</select>
```

1. TB_BLG_CONT_SQL.xml 파일을 리소스 열기로 엽니다.
2. 위 코드를 입력합니다.

----

id 는 selectOne 입니다.

```
id="selectOne"
```

지금은 단순 조회이기 때문에 일반 조회인 selectOne 으로 지엇지만, 나중에 쿼리가 복잡해지면 반드시 쿼리가 하는 일을 유추할 수 있도록 id 를 지어주세요.

파라미터타입은 Integer 입니다.

```
parameterType="java.lang.Integer"
```

`resultType` 은 해당 쿼리가 반환할 타입을 나타냅니다.

resultType="hashMap"

`키:값` 형식으로 여러 값을 담는 `HashMap` 타입으로 데이터베이스가 반환한 값을 담아달라는 뜻입니다.

> 쿼리 내용을 입력하기 전에 템플릿처럼 이 코드를 써 두면, 많은 양을 개발해야 할 때 도움이 됩니다. 메모장 같은 곳에 라도 템플릿을 상황별로 저장해 두시면 귀찮음을 줄일 수 있 습니다.

07.05.02. 매퍼에 쿼리 입력하기

```xml
15  <select id="selectOne" parameterType="java.lang.Integer" resultType="hashMap">
16      <![CDATA[
17      select
18      BLG_CONT_SEQ,
19      TITLE,
20      TO_CHAR(CONT_BDY) as CONT_BDY,
21      INSERT_DT
22      from
23      TB_BLG_CONT
24      where
25      BLG_CONT_SEQ = #{BLG_CONT_SEQ}
26      ]]>
27  </select>
```

```sql
select
BLG_CONT_SEQ,
TITLE,
TO_CHAR(CONT_BDY) as CONT_BDY,
INSERT_DT
from
TB_BLG_CONT
where
BLG_CONT_SEQ = #{BLG_CONT_SEQ}
```

1. sqldeveloper에 작성해 둔 조회 쿼리를 복사합니다.

2. `selectOne` 쿼리 안의 `<![CDATA[` 아래에 붙여넣습니다.
3. 조회 조건의 `1` 을 `#{BLG_CONT_SEQ}` 로 변경합니다.

> 만약 파라미터 타입이 `String`, `Integer` .. 등의 스칼라 타입
> 이라면, 마이바티스는 매개변수 이름을 구분하지 않습니다.
> 그래서 사실 `#{BLG_CONT_SEQ}` 가 아니라 `{AAAA}` 여도 똑
> 같이 동작합니다.
> 다만 사람이 알아보기가 어려우므로 가능하면 규칙에 맞게
> 써 주세요.

07.06. 블로그 컨텐츠 뷰 작성하기

07.06.01. 블로그 컨텐츠 뷰 작성하기 개요

서버 사이드 코딩이 완성되었으면, 클라이언트에 응답할 뷰를 작성합
니다.

컨트롤러에서 `blog/read` 경로를 반환했으므로, 뷰의 경로는 `/src/m ain/webapp/WEB-INF/views/blog/read.jsp` 입니다.

07.06.02. 블로그 컨텐츠 뷰 작성

```
BlogController.java   BlogServiceImpl.java   BlogDAO.java   TB_BLG_CONT_SQL.xml   read.jsp 22
 1 <%@ page language="java" contentType="text/html; charset=UTF-8"
 2     pageEncoding="UTF-8"%>
 3 <%@ taglib prefix="fn" uri="http://java.sun.com/jsp/jstl/functions"%>
 4 <%@ taglib prefix="fmt" uri="http://java.sun.com/jsp/jstl/fmt"%>
 5 <% pageContext.setAttribute("CRLF", "\r\n"); %>
 6 <!DOCTYPE html>
 7 <html>
 8 <head>
 9 <meta charset="UTF-8">
10 <title>블로그 컨텐츠 읽기</title>
11 </head>
12 <body>
13     <p>글번호 : ${blogCont.BLG_CONT_SEQ}</p>
14     <p>제목 : ${blogCont.TITLE}</p>
15     <hr />
16     <div>
17         ${fn:replace(blogCont.CONT_BDY, CRLF ,'<br />')}
18     </div>
19     <hr />
20     <p>입력일 : <fmt:formatDate value="${blogCont.INSERT_DT}" pattern="yyyy.MM.dd HH:mm:ss" />
21 </body>
22 </html>
```

```
/src/main/webapp/WEB-INF/views/blog/read.jsp
<%@ page language="java" contentType="text/html; c
harset=UTF-8"
    pageEncoding="UTF-8"%>
<%@ taglib prefix="fn" uri="http://java.sun.com/js
p/jstl/functions"%>
<%@ taglib prefix="fmt" uri="http://java.sun.com/j
sp/jstl/fmt"%>
<% pageContext.setAttribute("CRLF", "\r\n"); %>
<!DOCTYPE html>
<html>
<head>
```

266

```
<meta charset="UTF-8">
<title>블로그 컨텐츠 읽기</title>
</head>
<body>
    <p>글번호 : ${blogCont.BLG_CONT_SEQ}</p>
    <p>제목 : ${blogCont.TITLE}</p>
    <hr />
    <div>
        ${fn:replace(blogCont.CONT_BDY, CRLF ,'<br
/>')}
    </div>
    <hr />
    <p>입력일 : <fmt:formatDate value="${blogCont.I
NSERT_DT}" pattern="yyyy.MM.dd HH:mm:ss" />
</body>
</html>
```

1. link with editor 가 켜져 있는지 확인합니다.
2. 리소스 열기 기능으로 `create.jsp` 파일을 찾습니다.
3. `/src/main/webapp/WEB-INF/views/blog/create.jsp` 파일을 복사합니다.
4. 같은 폴더에 붙여넣습니다.
5. 파일명을 `read.jsp` 로 변경합니다.
6. 파일을 위 코드 내용으로 대체합니다.

컨트롤러에서 보내준 데이터를 뷰에 표현하려면 JSTL(JSP Standard Tag Library)을 사용합니다.
JSTL은 maven에 사용할 수 있게 설정되어 있습니다.

```
pom.xml
<dependency>
  <groupId>javax.servlet</groupId>
  <artifactId>jstl</artifactId>
  <version>1.2</version>
</dependency>
```

태그 라이브러리는 JSTL 의 기본 기능을 확장하는 라이브러리입니다.
JSTL은 기본적인 기능밖에 없기 때문에 기능을 확장하기 위해 사용됩
니다.

```
<%@ taglib prefix="fn" uri="http://java.sun.com/js
p/jstl/functions"%>
```

fn 은 JSTL의 유틸리티성 함수(function)가 담겨있는 라이브러리입
니다.

----

fmt 는 포메터(formatter)이며, 값을 다른 형식으로 바꿔주는 역할을
합니다.

```
<%@ taglib prefix="fmt" uri="http://java.sun.com/j
sp/jstl/fmt"%>
```

예를 들어 날짜 형식을 맞추거나, 숫자를 세자리씩 끊어주거나 하는 식
입니다.

페이지 컨텍스트는 현재 JSP 페이지에서만 사용할 페이지 변수를 선
언하는 역할을 합니다.

```
<% pageContext.setAttribute("CRLF", "\r\n"); %>
```

이 코드는 CRLF 를 변수명으로, \r\n 을 값으로 하는 페이지 변수를
선언합니다.

컨트롤러에서 전달받은 값을 JSP 에 표기하려면 ${컨트롤러의_모델
_이름.키} 형식을 사용합니다.

```
${blogCont.BLG_CONT_SEQ}
```

컨트롤러에서 모델의 값은 이렇게 설정했었습니다.

```
/src/main/java/v2/mvc/spring/blog/controller/Blo
gController.java
model.addAttribute("blogCont", blogCont);
```

그리고 blogCont 변수 안에는 데이터베이스 행 이름 BLOG_CONT_SE
Q, TITLE 등이 키로 들어가 있었죠.
따라서 ${컨트롤러의_모델_이름.키} 형식에 따라 ${blogCont.BLG_
CONT_SEQ} 로 표기한 것입니다.

---

fn 태그 라이브러리를 사용하기 위해서는 fn:함수명 형식을 쓰면
됩니다.

```
${fn:replace(blogCont.CONT_BDY, CRLF ,'<br />')}
```

컨텐츠에서, 페이지변수 CRLF 의 값 \r\n 을
 태그로 바꾼다
는 뜻입니다.

JSTL 코드를 자바로 표현하면 다음과 같습니다.

```
blogCont.get("CONT_BDY").toString().replace(CRLF,
"<br />");
```

자바와는 다르게 JSTL에서 문자열은 쌍따옴표 " 가 아니라 홑따옴
표 ' 로 감쌉니다. SQL 쿼리와 동일합니다.

CRLF(Carrage Return Line Feed) 는 줄바꿈을 나타냅니다. HTML은
태그에서 줄바꿈을 한다고 해도 보여지는 모습에 줄이 바뀌지는 않습
니다.
따라서 강제로 개행(줄바꿈)을 해 줘야 하는데요. 이 때 사용하는 태그
가
 태그입니다.
즉 CRLF 를
 로 바꿔서 HTML에서도 줄바꿈한 것이 보여지게
하기 위한 용도입니다.

> CRLF는 OS마다 다릅니다. 윈도우즈에서는 \r\n 이고, 리
> 눅스 계열에서는 \n 입니다. 맥 OS는 \r 을 씁니다.
> 예제는 단순성을 위해 \r\n 으로 사용했지만, 실무에서는 .
> replace("\r\n", "<br />").replace("\r","<br />").rep
> lace("\n", "<br />") 처럼 사용해야 합니다.

----

fmt 태그 라이브러리를 사용하려면 fmt:함수명 방식으로 표기합니
다.

```
<fmt:formatDate value="${blogCont.INSERT_DT}" patt
ern="yyyy.MM.dd HH:mm:ss" />
```

fmt:formatDate 함수는 날짜 형식을 맞춰주는 함수입니다. blogCon
t 매개변수의 INSERT_DT 키의 값을 {4자리년}.{2자리월}.{2자리
일} {24시간}{2자리 분}{2자리 초} 형식으로 표현합니다.

글번호 : 27

제목 : 컨트롤러를 통한 저장 테스트

컨트롤러를 통한 저장 테스트
본문 테스트

입력일 : 2023.11.01 11:52:33

1. 톰캣 서버가 켜져있는지 확인합니다.
2. http://localhost:8080/read/{글번호} 주소에 브라우저로 접속합니다.
3. 모두 다 정상적으로 나오는지 확인합니다.

08. 블로그 컨텐츠 수정 만들기

08.01. 블로그 컨텐츠 수정 컨트롤러 만들기

08.01.01. 블로그 컨텐츠 수정 컨트롤러 만들기 개요

블로그 컨텐츠 수정 컨트롤러 메소드를 추가해 봅시다.

블로그 컨텐츠 수정 화면에서 보여져야 할 데이터는 블로그 컨텐츠 상세 화면과 완전히 동일하므로, 매퍼부터 서비스까지의 일련의 과정은 재사용할 수 있습니다. 따라서 컨트롤러 코드만 작성합니다.

08.01.02. 수정 컨트롤러 메소드 작성

```
34  @GetMapping(value = "/read/{blogContSeq}")
35  public String getRead(@PathVariable("blogContSeq") int blogContSeq, Model model) {
36      Map<String, Object> blogCont = this.blogService.read(blogContSeq);
37      model.addAttribute("blogCont", blogCont);
38
39      return "blog/read";
40  }
41
42  @GetMapping(value = "/edit/{blogContSeq}")
43  public ModelAndView getEdit(@PathVariable("blogContSeq") int blogContSeq) {
44      ModelAndView mav = new ModelAndView("/blog/edit");
45
46      Map<String, Object> blogCont = this.blogService.read(blogContSeq);
47
48      if (blogCont == null) {
49          mav.setViewName("redirect:/list");
50          return mav;
51      }
52
53      mav.addObject("blogCont", blogCont);
54
55      return mav;
56
57  }
```

```
/src/main/java/v2/mvc/spring/blog/controller/Blo
gController.java
@GetMapping(value = "/edit/{blogContSeq}")
public ModelAndView getEdit(@PathVariable("blogCon
tSeq") int blogContSeq) {
    ModelAndView mav = new ModelAndView("/blog/edi
t");
```

```
    Map<String, Object> blogCont = this.blogServic
e.read(blogContSeq);

    if (blogCont == null) {
        mav.setViewName("redirect:/list");
        return mav;
    }

    mav.addObject("blogCont", blogCont);

    return mav;
}
```

1. 블로그 컨트롤러에 위 코드를 입력합니다.
2. 자동 불러오기 기능으로 패키지들을 불러옵니다.

ModelAndView 는 이름처럼 모델과 뷰를 합쳐놓은 객체입니다. 모델은
데이터를 뷰로 보내는 역할을 하고, 뷰는 뷰의 경로를 지정합니다.

public ModelAndView getEdit

> 사실 스프링은 String 을 반환하든, Model 을 사용하든 간
> 에 내부적으로는 ModelAndView 로 바꿔서 데이터를 렌더링
> 합니다.

ModelAndView 는 메소드 내부에서 선언해도 되고, 메소드의 파라미터
로 기재해도 됩니다.

```
getEdit(@PathVariable("blogContSeq") int blogContS
eq) {
    ModelAndView mav = new ModelAndView();
```

```
getEdit(@PathVariable("blogContSeq") int blogContS
eq, ModelAndView mav) {
```

위 두 코드는 동일한 동작을 합니다.

다만 `ModelAndView` 객체를 쓸 때는 객체를 생성하면서 뷰의 경로를 지정하는 일이 잦아서, 보통은 메소드 파라미터 대신 메소드 내부에서 선언하는 경우가 많습니다.

`ModelAndView` 는 기본 뷰 경로를 지정해 두고, 로직에 따라서 뷰의 경로를 바꾸는 경우에 자주 쓰입니다.

```
if (blogCont == null) {
    mav.setViewName("redirect:/list");
    return mav;
}
```

이 코드는 조회에 실패했을 경우 목록으로 이동하도록 뷰의 경로를 변경합니다.

`ModelAndView` 객체를 이용해 뷰에 데이터를 넘길 때는 `addObject` 메소드를 사용합니다.

```
mav.addObject("blogCont", blogCont);
```

참으로 일관성 없게도 `Model` 객체에서 뷰에 넘길 데이터를 세팅하는 메소드 이름은 `addAttribute` 이므로 같은 동작을 하는데도 객체마다 메소드명은 차이가 있습니다.

08.02. httpMethodFilter 추가하기

HTTP 데이터의 수정은 PUT 메소드를 사용합니다. 다만 웹브라우저는 GET과 POST 만 대부분 인식하므로, PUT 메소드는 처리를 할 수가 없죠.

그래서 많은 프로젝트에서는 HTTP 메소드와 무관하게 GET을 제외한 모든 경우에는 POST 를 사용하기도 하는데요.

스프링은 이런 경우를 대비해서 HTTP 메소드를 에뮬레이션하는 기능이 있습니다. 즉, 브라우저에서 POST 메소드로 서버를 호출해도, 서버에서는 PUT 요청으로 처리하는 겁니다.

자동으로 되는 건 아니고, `web.config` 에 `httpMethodFilter` 를 추가하고 HTML에서는 `_method` 속성을 서버에 전달함으로써 에뮬레이션 합니다.

08.02.02. web.config 에 httpMethodFilter 추가

```
51   <filter-mapping>
52       <filter-name>encodingFilter</filter-name>
53       <url-pattern>/*</url-pattern>
54   </filter-mapping>
55
56   <filter>
57       <filter-name>httpMethodFilter</filter-name>
58       <filter-class>org.springframework.web.filter.HiddenHttpMethodFilter</filter-class>
59   </filter>
60   <filter-mapping>
61       <filter-name>httpMethodFilter</filter-name>
62       <url-pattern>/*</url-pattern>
63   </filter-mapping>
64
65   </web-app>
66
```

```
<filter>
    <filter-name>httpMethodFilter</filter-name>
    <filter-class>org.springframework.web.filter.H
iddenHttpMethodFilter</filter-class>
</filter>
<filter-mapping>
    <filter-name>httpMethodFilter</filter-name>
    <url-pattern>/*</url-pattern>
</filter-mapping>
```

1. `web.config` 파일을 엽니다.
2. 위 코드를 입력합니다.

앞서 설명했듯이, `httpMethodFilter` 필터는 요청 중에 `_method` 키
가 있을 경우 그 값을 HTTP 메소드로 에뮬레이션해 주는 역할을 합니
다.

08.03. 블로그 컨텐츠 수정 뷰 작성하기

08.03.01. 블로그 컨텐츠 수정 뷰 작성하기 개요

블로그 컨텐츠 수정 뷰는 조회 + 입력 화면을 조합하면 됩니다. ~~복붙와~~
~~세계에 오신 것을 환영합니다.~~

기본적인 틀은 수정 화면에서 가지고 오고, 데이터를 가져오는 부분은
조회 화면에서 가져오겠습니다.

08.02.02. 블로그 컨텐츠 수정 뷰 작성

```
edit.jsp    BlogController.java
 1  <%@ page language="java" contentType="text/html; charset=UTF-8"
 2      pageEncoding="UTF-8"%>
 3  <%@ taglib prefix="fn" uri="http://java.sun.com/jsp/jstl/functions"%>
 4  <%@ taglib prefix="fmt" uri="http://java.sun.com/jsp/jstl/fmt"%>
 5  <% pageContext.setAttribute("CRLF", "\r\n"); %>
 6  <!DOCTYPE html>
 7  <html>
 8  <head>
 9  <meta charset="UTF-8">
10  <title>블로그 컨텐츠 수정</title>
11  </head>
12  <body>
13      <form method="post">
14          <input type="hidden" name = "_method" value = "put"/>
15          <p>글번호 : ${blogCont.BLG_CONT_SEQ}</p>
16          <p>
17              컨텐츠 제목 :
18              <input type='text' name='title' style='width:80%' value="${blogCont.TITLE}" />
19          </p>
20          <p>
21              본문
22          </p>
23          <p>
24              <textarea rows="10" name="contBdy" style='width:100%'>${blogCont.CONT_BDY}</textarea>
25          </p>
26          <p>입력일 : <fmt:formatDate value="${blogCont.INSERT_DT}" pattern="yyyy.MM.dd HH:mm:ss" /></p>
27          <p>
28              <input type="submit" name="create" value="블로그 컨텐츠 수정" />
29          </p>
30      </form>
31  </body>
32  </html>
```

/src/main/webapp/WEB-INF/views/blog/edit.jsp

```
<%@ page language="java" contentType="text/html; c
harset=UTF-8"
    pageEncoding="UTF-8"%>
<%@ taglib prefix="fn" uri="http://java.sun.com/js
p/jstl/functions"%>
<%@ taglib prefix="fmt" uri="http://java.sun.com/j
sp/jstl/fmt"%>
<!DOCTYPE html>
```

```html
<html>
<head>
<meta charset="UTF-8">
<title>블로그 컨텐츠 수정</title>
</head>
<body>
    <form method="post">
        <input type="hidden" name = "_method" valu
e = "put"/>
        <p>글번호 : ${blogCont.BLG_CONT_SEQ}</p>
        <p>
            컨텐츠 제목 :
            <input type='text' name='title' style=
'width:80%' value="${blogCont.TITLE}" />
        </p>
        <p>
            본문
        </p>
        <p>
            <textarea rows="10" name="contBdy" sty
le='width:100%'>${blogCont.CONT_BDY}</textarea>
        </p>
        <p>입력일 : <fmt:formatDate value="${blogCo
nt.INSERT_DT}" pattern="yyyy.MM.dd HH:mm:ss" /></p
>
        <p>
            <input type="submit" name="create" val
ue="블로그 컨텐츠 수정" />
        </p>
    </form>
</body>
</html>
```

1. `create.jsp` 파일을 복사해서 `edit.jsp` 파일을 생성합니다.

2. 태그 라이브러리 `fn` 과 `fmt` 를 `read.jsp` 에서 복사합니다.

3. 글 번호 코드 라인을 `read.jsp` 에서 복사합니다.

4. 컨텐츠 제목 입력 태그에 `value` 속성을 추가합니다. `value` 속성의 값은 `read.jsp` 에서 가져오면 됩니다.

5. 본문 태그 `<textarea>` 의 `name` 속성을 `content_body` 에서 `contBdy` 로 변경합니다.

6. 본문 태그 `<textarea>` 와 `</textarea>` 사이에 컨텐츠 본문 값 `${blogCont.CONT_BDY}` 를 `read.jsp` 에서 가져와 붙여넣습니다.

7. 입력일은 수정할 수 없는 정보이므로 `read.jsp` 에서 복사해 옵니다.

8. 저장 버튼의 `value` 속성을 "생성" 에서 "수정" 으로 바꿉니다.

9. 저장합니다.

생성 기능을 만들 때 뷰 파일 `create.jsp` 에서 컨텐츠 본문 태그의 키 이름은 `content_body` 였습니다. 하지만 데이터베이스 열의 이름은 `CONT_BDY` 였죠.

사람은 뭔가를 할 때는 의미를 중심으로 파악하므로 코드를 작성할 때는 전혀 이상하지 않았으나, 나중에 보니 이상한 경우가 있습니다. 나중에 뭔가를 수정하려고 보니 그래서 본문 이름이 `content_body` 라는 거야 아니면 `CONT_BDY` 라는거야? 처럼 ~~후임자들을 화나게 하는~~ 상황이 오는 겁니다.

그래서 이번 기회에 수정화면이라도 바꾸겠습니다.

~~물론 이렇게 하는 것이 더 헷갈릴 수도 있다는 점 인정합니다.~~

08.04. 블로그 컨텐츠 수정 VO 작성하기

08.04.01. 블로그 컨텐츠 수정 VO 작성하기 개요

이제껏 우리는 값을 전달하는 방법으로 `Map` 을 사용했었습니다. `Map` 은 굉장히 유연해서 변경에 강하다는 장점이 있습니다만, 반면 안에 무슨 값이 있는지는 실행하기 전까지 아무도 모른다는 단점이 있습니다. 반면 VO(Value Object)는 값의 이름과 타입을 미리 정의해서 사용하는 방법입니다. 따라서 코드만 보고도 내용물을 파악할 수 있는 장점이 있지만 코드를 더 많이 써야 하므로 번거롭다는 단점이 있습니다. 추가로 VO는 자동완성이 된다는 최대 장점도 있지요.

프로젝트를 하다가 원리원칙을 중요하게 여기시는 AA분이나 PM분을 만나면 반드시 VO를 사용하라는 지침을 받을 수도 있습니다. 꼭 그렇지 않더라도 매개변수가 엄청나게 많은 입/출력의 경우 미리 정의를 하지 않으면 더 헷갈리는 경우도 있으므로 상황에 따라 적절하게 선택해서 사용하세요.

> VO는 DTO(Data Transfer Object)라고 불리기도 합니다. 둘이 완전히 동일한 개념은 아니지만 데이터 컨테이너 역할을 한다는 점에서는 같습니다. 현장에서는 샘플 코드를 작성한 사람의 성향에 따라 VO라고도 하고 DTO라고도 합니다.

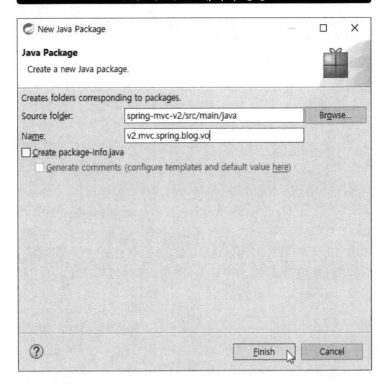

1. `blog` 패키지 아래에 `vo` 패키지를 생성합니다.

New Java Class   □   ×

Java Class
Create a new Java class.

Source folder: spring-mvc-v2/src/main/java   Browse...

Package: v2.mvc.spring.blog.vo   Browse...

☐ Enclosing type: Browse...

Name: BlogEditRequestVO

Modifiers: ⦿ public   ○ package   ○ private   ○ protected
                 ☐ abstract ☐ final   ☐ static

Superclass: java.lang.Object   Browse...

Interfaces: Add...

                                                     Remove

Which method stubs would you like to create?
                 ☐ public static void main(String[] args)
                 ☐ Constructors from superclass
                 ☑ Inherited abstract methods
Do you want to add comments? (Configure templates and default value here)
                 ☐ Generate comments

⑦   Finish   Cancel

1. `blog.vo` 패키지 아래에 `BlogEditRequestVO` 클래스를 만듭
   니다.

```
BlogEditRequestVO.java ✕
 1  package v2.mvc.spring.blog.vo;
 2
 3  public class BlogEditRequestVO {
 4      private int blogContSeq;
 5      private String title;
 6      private String contBdy;
 7  }
 8
```

/src/main/java/v2/mvc/spring/blog/vo/BlogEditReq
uestVO.java

```
private int blogContSeq;
private String title;
private String contBdy;
```

1. 생성된 `BlogEditRequestVO` 클래스에 사용할 멤버변수를 세
   개 선언합니다.

데이터의 수정을 위해서는 "고유 식별자", "제목", "본문"이 필요합니다.
각각 `blogContSeq`, `title`, `contBdy` 로 매핑됩니다.

멤버변수가 `private` 인 이유는, 자바의 은닉성 추구 원칙 때문입니다.
멤버변수는 `private` 으로 숨기고 멤버변수에 접근하려면 `getter`, `s
etter` 라고 불리는 메소드를 통해서 접근하는 것입니다.

본문의 경우 데이터베이스 열의 이름은 `CONT_BDY` 인데 반해 자바 이름은 `contBdy` 입니다. 데이터베이스의 열 이름은 일반적으로 `_` 로 단어를 잇는 스네이크 케이스 컨벤션인 데 반해 자바는 카멜 케이스를 쓰기 때문입니다.

~~이제 본문을 부르는 이름은 content_body, CONT_BDY, contBdy 세 개가 되었습니다. 더 헷갈리게 되었네요. 여러분은 저처럼 되지 마세요. :;~~

08.04.05. getter, setter 만드는 메뉴 진입

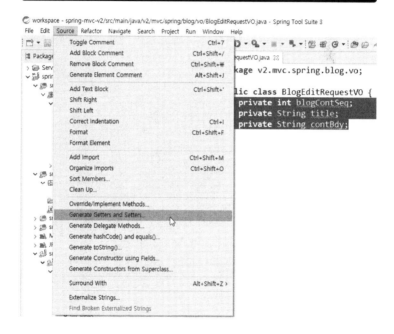

1. STS 에서 Source 메뉴를 클릭합니다.
2. Generate Getters and Setters 메뉴를 선택합니다.

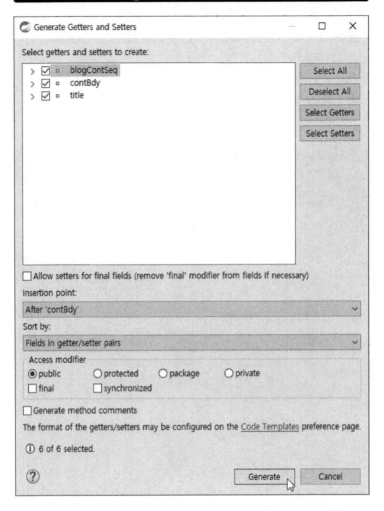

1. 선언한 멤버변수 세개가 모두 보여지는지 확인합니다.
2. SelectAll 버튼을 클릭합니다.
3. Insertion Point 를 `After contBdy` 로 선택합니다. `contBdy`
   가 멤버변수 선언의 마지막이기 때문입니다.
4. Generate 버튼을 클릭합니다.

```java
*BlogEditRequestVO.java ⌨

 1  package v2.mvc.spring.blog.vo;
 2
 3  public class BlogEditRequestVO {
 4      private int blogContSeq;
 5      private String title;
 6      private String contBdy;
 7
 8      public int getBlogContSeq() {
 9          return blogContSeq;
10      }
11      public void setBlogContSeq(int blogContSeq) {
12          this.blogContSeq = blogContSeq;
13      }
14      public String getTitle() {
15          return title;
16      }
17      public void setTitle(String title) {
18          this.title = title;
19      }
20      public String getContBdy() {
21          return contBdy;
22      }
23      public void setContBdy(String contBdy) {
24          this.contBdy = contBdy;
25      }
26  }
27
```

1. STS가 자동으로 만들어 준 getter 와 setter 코드를 확인합니다.
2. ~~귀찮은 노동을 STS가 대신 해 줬다는 것에 감동합니다.~~

단순히 멤버변수를 감싸서 그 값을 그대로 누구나(public) 수정할 수 있다면, 뭣하러 getter와 setter가 있어야 하는지 의문이 생길 수도 있습니다. 정상입니다.

287

스프링 프레임워크가 객체의 키로 값을 꺼내거나 값을 바인딩할 때는 자바 빈즈 규칙에 따라 getter 와 setter 메소드를 통해 접근합니다. 따라서 `title` 에 접근하는 방법은 무조건 `getTitle` 메소드이고, `title` 에 값을 쓰기 위해서는 `setTitle` 메소드를 호출하도록 구현되어 있습니다.

이런 이유로 우리가 자바 월드에서 개발을 하려면 자바의 규칙을 따라야 합니다. 프레임워크나 라이브러리가 대부분 자바 빈즈 컨벤션에 의존하거든요.

08.05. 블로그 컨텐츠 수정 매퍼와 DAO 수정하기

08.05.01. 매퍼 수정하기

```
27    </select>
28    <update id="update" parameterType="v2.mvc.spring.blog.vo.BlogEditRequestVO">
29        <![CDATA[
30        UPDATE TB_BLG_CONT
31        SET
32            TITLE = #{title},
33            CONT_BDY = #{contBdy}
34        WHERE
35        BLG_CONT_SEQ = #{blogContSeq}
36        ]]>
37    </update>
38 </mapper>
```

/src/main/resources/sqlmap/TB_BLG_CONT_SQL.xml

```xml
<update id="update" parameterType="v2.mvc.spring.b
log.vo.BlogEditRequestVO">
    <![CDATA[
    UPDATE TB_BLG_CONT
    SET
        TITLE = #{title},
        CONT_BDY = #{contBdy}
    WHERE
    BLG_CONT_SEQ = #{blogContSeq}
    ]]>
</update>
```

1. 매퍼 파일을 열고 수정 쿼리를 입력합니다.

SQL 에서 데이터 수정은 update 쿼리를 사용합니다. 형식은 다음과
같습니다.

```
UPDATE 테이블명 SET 열1=값1, 열2=값2, 열3=값3 where
조건
```

마이바티스에서도 `<update>` 태그는 수정을 나타냅니다.

```
<update id="update"
```

파라미터타입이 `BlogEditRequestVO` 입니다.

```
parameterType="v2.mvc.spring.blog.vo.BlogEditReque
stVO"
```

마이바티스 입장에서는 `BlogEditRequestVO` 클래스가 어디에 위치해 있는지 알 도리가 없으므로 클래스가 속한 전체 패키지와 함께 적어주어야 합니다.

`title`, `contBdy`, `blogContSeq` 이름에서도 짐작할 수 있듯이, VO 클래스의 멤버변수(정확히는 getter와 setter 메소드)가 그대로 사용됩니다.

08.06.01. DAO 수정하기

```
25*    public Map<String, Object> selectOne(int blogContSeq) {
26         return this.sqlSessionTemplate.selectOne("TB_BLG_CONT.selectOne", blogContSeq);
27    }
28
29*    public int update(BlogEditRequestVO blogEditRequestVO) {
30         return this.sqlSessionTemplate.update("TB_BLG_CONT.update", blogEditRequestVO);
31    }
32 }
33
```

/src/main/java/v2/mvc/spring/blog/dao/BlogDAO.java

```
public int update(BlogEditRequestVO blogEditReques
tVO) {
    return this.sqlSessionTemplate.update("TB_BLG_
CONT.update", blogEditRequestVO);
}
```

1. `BlogDAO.java` 파일을 엽니다.
2. `selectOne` 메소드 아래에 `update` 메소드를 추가합니다.

`create` 메소드와 비교했을 때 `Map` 타입 파라미터가 `BlogEditReque stVO` 타입으로 바뀌었을 뿐, 특별한 차이는 없습니다.

08.06. 블로그 컨텐츠 수정 서비스 수정하기

08.06.01. 블로그 컨텐츠 수정 서비스 수정하기 개요

블로그 컨텐츠 수정 서비스는 먼저 서비스 구현 클래스의 메소드를 구현하고, 이를 바탕으로 역으로 서비스 인터페이스 메소드를 만드는 방법을 소개하겠습니다.

08.06.02. 서비스 구현 클래스 구현하기

```
28   @Override
29   public Map<String, Object> read(int blogContSeq) {
30       Map<String, Object> blogCont = this.blogDAO.selectOne(blogContSeq);
31       return blogCont;
32   }
33
34   @Override
35   public boolean edit(BlogEditRequestVO blogEditRequestVO) {
36       int affectRowsCount = this.blogDAO.update(blogEditRequestVO);
37       return affectRowsCount > 0;
38   }
```

```
/src/main/java/v2/mvc/spring/blog/service/impl/B
logServiceImpl.java
@Override
public boolean edit(BlogEditRequestVO blogEditRequ
estVO) {
    int affectRowsCount = this.blogDAO.update(blog
EditRequestVO);
    return affectRowsCount > 0;
}
```

1. `BlogServiceImpl.java` 파일을 엽니다.
2. `edit` 메소드를 작성합니다.

`update` 메소드도 `insert` 메소드와 동일하게 영향받은 행 수를 반환합니다. 따라서 영향받은 행 수가 0보다 크다면 성공이겠죠.

292

```
return affectRowsCount > 0;
```

08.06.03. 서비스 구현 클래스에서 인터페이스 메소드 만들기

```
34⊖    @Override
35     public boolean edit(BlogEditRequestVO blogEditRequestVO) {
36         int affectRowsCo ⓧ The method edit(BlogEditRequestVO) of type BlogServiceImpl must override or implement a supertype
37         return affectRow    method
38     }                    2 quick fixes available:
39 }                         ● Create 'edit()' in super type 'BlogService'
40                           ⚡ Remove '@Override' annotation
```

1. 마우스를 메소드 정의 위에 올립니다.
2. Create 'edit()' in super type 'BlogService'를 선택합니다.

메소드 정의에 빨간 줄이 가 있습니다. @Override 어노테이션이 붙어
있는데 인터페이스에 해당 메소드가 정의되지 않았다는 의미입니다.
@Override 어노테이션은 자바에 기본적으로 포함된 어노테이션으로
, 상위 타입의 메소드를 오버라이드(재정의)한다는 뜻입니다.
자바 입장에서 보면 상위 타입(이 경우에는 BlogService 인터페이스
) 에 edit 라는 메소드가 없는데 이를 오버라이드한다고 했으니 오류
라고 판단하는 것입니다.

08.06.04. 서비스 인터페이스에 메소드 생성되었는지 확인하기

```
 5 import v2.mvc.spring.blog.vo.BlogEditRequestVO;
 6
 7 public interface BlogService {
 8     int create(Map<String, Object> map);
 9
10     Map<String, Object> read(int blogContSeq);
11
12     boolean edit(BlogEditRequestVO blogEditRequestVO);
13 }                                    blogEditRequestVO
14                                      editRequestVO
                                        requestVO
                                        vo
```

1. `BlogService` 인터페이스에 `edit` 메소드가 생겼는지 확인합
   니다.

08.07. 블로그 컨텐츠 수정 컨트롤러 작성하기

08.07.01. 블로그 컨텐츠 수정 컨트롤러 작성하기 개요

블로그 컨텐츠 수정 서비스를 이용해서 블로그 컨텐츠를 수정하는 컨트롤러를 만듭니다. 성공하면 수정 페이지로 다시 이동하고, 실패하면 리스트 페이지로 이동합니다.

08.07.02. 블로그 컨텐츠 수정 컨트롤러 작성

```
60  @PutMapping(value = "/edit/{blogContSeq}")
61  public String putEdit(BlogEditRequestVO blogEditRequestVO) {
62      boolean isSuccessEdit = this.blogService.edit(blogEditRequestVO);
63
64      if (isSuccessEdit) {
65          return "redirect:/edit/" + String.valueOf(blogEditRequestVO.getBlogContSeq());
66      }
67
68      return "redirect:/list";
69
```

```
/src/main/java/v2/mvc/spring/blog/controller/Blo
gController.java
@PutMapping(value = "/edit/{blogContSeq}")
public String putEdit(BlogEditRequestVO blogEditRe
questVO) {
    boolean isSuccessEdit = this.blogService.edit(
blogEditRequestVO);

    if (isSuccessEdit) {
        return "redirect:/edit/" + String.valueOf(
blogEditRequestVO.getBlogContSeq());
    }

    return "redirect:/list";
}
```

1. `BlogController.java` 파일을 엽니다.
2. `putEdit` 메소드를 추가합니다.
3. 자동 불러오기 기능을 통해 패키지들을 불러옵니다.

특별한 어노테이션 없이 `BlogEditRequestVO` 타입 매개변수만 전달했습니다.

| `putEdit(BlogEditRequestVO blogEditRequestVO)`

스프링은 컨트롤러 메소드에 매개변수가 있고, 매개변수가 스프링이 제어하는 타입(`Model`, `ModelAndView` .. 등)이 아니라면 이를 HTTP 요청 매개변수 (Http Request Parameter)에 바인딩시키려고 시도합니다.

`BlogEditRequestVO` 타입은 스프링이 제어하는 변수 타입이 아니므로, 매개변수 바인딩용 변수입니다.

`BlogEditRequestVO` 클래스 정의를 잠깐 다시 둘러보겠습니다.

```java
/src/main/java/v2/mvc/spring/blog/vo/BlogEditReq
uestVO.java
public class BlogEditRequestVO {
    private int blogContSeq;
    private String title;
    private String contBdy;
```

우리가 `edit.jsp` 파일에서 전달한 매개변수는 다음과 같았습니다. 먼저 경로 매개변수입니다.

| `@PutMapping(value = "/edit/{blogContSeq}")`

다음은 Http 본문 매개변수(Http Body Parameter) 입니다.

```jsp
/src/main/webapp/WEB-INF/views/blog/edit.jsp
<input type='text' name='title' style='width:80%'
value="${blogCont.TITLE}" />
<textarea rows="10" name="contBdy" style='width:10
0%'>${blogCont.CONT_BDY}</textarea>
```

매개변수가 경로 매개변수이든, 본문 매개변수이든 상관 없이 스프링이 매핑시켜준다는 것을 알 수 있습니다.

08.08. 디버거 쓰는 법 익혀보기

08.08.01. 디버거 쓰는 법 개요

디버거는 어플리케이션 실행 중에 값이 어떤지, 흐름이 어떻게 흘러가는 지 볼 수 있는 도구입니다. 실무에 들어오신 신입 분들 중에 의외로 디버거를 사용할 줄 몰라서 일일이 `System.out.println` 으로 변수 값을 찍고 계신 경우를 종종 보았기에 간단하게 설명합니다.

가끔 아주 경력이 많으신 분들이 디버거를 쓰면 잔소리를 하는 모습도 볼 수 있습니다. 아주 옛날에는 컴퓨터가 너어무 느려서 디버거를 쓰면 개발 속도가 몹시 저하되었었거든요. 그런데 지금은 이미 컴퓨터는 개발자보다 훨씬 빠릅니다. 그런 걱정은 하지 말고 쓰세요.

08.08.02. 브레이크 포인트 설정하기

```
60⊖    @PutMapping(value = "/edit/{blogContSeq}")
61     public String putEdit(BlogEditRequestVO blogEditRequestVO) {
62         boolean isSuccessEdit = this.blogService.edit(blogEditRequestVO);
63
64  Line breakpoint:BlogController [line: 64] - putEdit(BlogEditRequestVO)
65            return "redirect:/edit/" + String.valueOf(blogEditRequestVO.getBlogContSeq());
66         }
67
68         return "redirect:/list";
69     }
```

1. STS 에디터에서 줄번호 왼쪽에 보면 파란색 세로 줄이 있습니다. 더블클릭하세요.
2. 진한 파란색 점이 찍히는 것을 볼 수 있습니다. 이를 브레이크 포인트(break point - 중단점)라고 합니다.

브레이크 포인트는, 프로그램이 실행되다가 브레이크 포인트를 실행할 타이밍에 어플리케이션 실행이 멈추는 것을 말합니다.

특정 시점에 변수 값이 궁금하다거나 할 때 멈추는 지점이라고 생각하면 됩니다.

08.08.03. 톰캣 디버그 모드로 실행

1. 서버를 디버그 모드로 실행시키기 위해 Tomcat 서버를 우클릭합니다.
2. Debug를 클릭합니다.

혹은 톰캣을 선택 후 Servers 탭 오른쪽의 벌레 모양을 클릭해도 동일하게 작동합니다.

08.08.04. 디버거 실행 확인

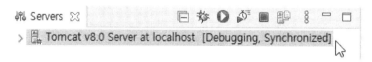

1. 디버거가 완전히 실행되면 서버 메시지에 [Debugging, Synchronized] 라는 메시지가 보여집니다.
2. 브라우저에서 확인하고 싶은 페이지를 실행시킵니다.

[Debugging, Synchronized] 는 디버깅중, 현재 소스코드와 실행중인 어플리케이션이 동기화되어 있음 이라는 뜻입니다.

만약 디버깅 실행 중 특정 코드를 수정했다면 메시지가 [Debugging, Restart] 로 바뀝니다. 수정된 코드대로 실행되지 않으므로 서버 재시작이 필요하다는 뜻입니다.

08.08.05. 디버깅 퍼스펙티브 전환 팝업

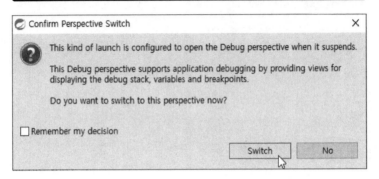

1. 디버깅으로 실행할 경우 STS가 디버깅 퍼스펙티브로 자동 전환할 것인지를 물어봅니다.
2. Remember My Decision에 체크가 해지되어 있는지 확인합니다. 디버거 모드는 사람에 따라 호불호가 많이 갈리므로, 아직 체크하지 말고 Switch만 눌러서 맛보기 모드로 해 보신 후 마음에 드시면 체크하셔도 늦지 않습니다.

08.08.06. 디버깅 퍼스펙티브 확인

1. 광활하고 엄청난 디버깅 퍼스펙티브를 확인합니다.

퍼스펙티브는 이클립스에서 파생된 IDE에서 주로 사용되는 말로, 각 문맥에 따라 화면이 다르게 보여지는 기능을 말합니다.

디버깅 퍼스펙티브에서 편집기 왼쪽은 톰캣 쓰레드, 오른쪽은 현재 변수, 브레이크 포인트, 표현식 등이 위치합니다.

초보 개발자 입장에서는 톰캣 쓰레드는 볼 일이 거의 없으실 것이고, 현재 변수, 브레이크 포인트, 표현식 정도를 자주 사용하시게 될 꺼에요.

가끔 일하기 싫은데 뭔가 하는 척은 해야 하는 상황이 오면 디버깅 퍼스펙티브를 켜 두세요. 복잡하게 생겨서 얼핏 봐서는 뭘 하는지 아무도 몰라요.

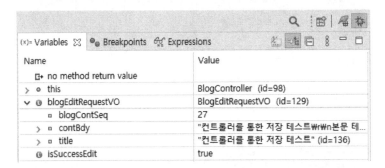

1. 에디터 오른쪽에 보시면 현재 문맥에서 선언된 변수 목록을 볼
   수 있습니다.
2. Breakpoints 탭은 브레이크 포인트 목록입니다. 브레이크 포인
   트는 여러개를 설정할 수 있으므로 목록에서 브레이크 포인트
   를 선택하거나 삭제할 때 사용됩니다.
3. Expressions 는 변수가 아니라 표현식을 확인하고 싶을 때 씁
   니다. 예를 들어 인스턴스 변수라던가, 아니면 특정 타입을 캐
   스팅한 결과를 확인하고 싶다던가.. 할 때요.

08.08.08. 에디터에서 직접 값 확인하기

1. 어플리케이션 실행이 브레이크 포인트에서 멈추면 녹색으로
   줄이 반전됩니다.
2. 값이 궁금한 변수에 마우스를 올립니다.
3. 내부 값을 확인합니다.

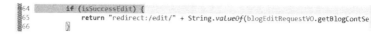

```
64        if (isSuccessEdit) {
65            return "redirect:/edit/" + String.valueOf(blogEditRequestVO.getBlogContSe
66        }
```

1. F5를 눌러보세요. 한단계씩 디버거가 이동합니다. 메소드가 정의되어 있다면 메소드 안으로 들어갑니다. 스텝 인투(Step Into) 라고 부릅니다.
2. F6을 눌러보세요. 한단계씩 디버거가 이동하지만 함수 내부로 들어가지는 않습니다. 스텝 오버(Step Over) 라고 부릅니다.
3. F7을 눌러보세요. 호출했던 이전 메소드로 돌아갑니다. 스텝 리턴(Step Return) 이라고 합니다.
4. F8을 눌러보세요. 다음 브레이크 포인트로 이동합니다.

스프링 퍼스펙티브로 돌아오기

1. 오른쪽 상단의 퍼스펙티브 선택 상자를 클릭해서 퍼스펙티브를 전환합니다.

09. 블로그 컨텐츠 삭제 만들기

09.01. 매퍼 인터페이스 스캔 설정하기

09.01.01. 매퍼 인터페이스 스캔 설정하기 개요

매퍼 인터페이스는 DAO 클래스에서 매퍼 XML에 작성된 쿼리를 문자열로 호출하는 것과 다르게 인터페이스에 정의한 메소드 이름으로 쿼리를 실행하는 방법입니다.

매퍼 인터페이스를 사용하기 위해서는 마이바티스-스프링에 설정이 하나 필요합니다.

1. `db-context.xml` 파일을 엽니다.

2. 하단의 namespaces 탭을 선택합니다.

3. mybatis-spring 항목을 체크합니다.

4. xml 파일을 수정한다는 메시지가 나옵니다. OK 버튼을 누릅니다.

```
27⊖    <bean id="sqlSessionTemplate"
28        class="org.mybatis.spring.SqlSessionTemplate">
29        <constructor-arg index="0" ref="sqlSessionFactory" />
30    </bean>
31
32    <mybatis-spring:scan base-package="v2.mvc.spring.blog.mapper"/>
33
```

src/main/webapp/WEB-INF/spring/db-context.xml

```
<mybatis-spring:scan base-package="v2.mvc.spring.b
log.mapper"/>
```

1. source 탭을 선택합니다.
2. 빈 정의 아래에 마이바티스 스캔 코드를 넣습니다.

`mybatis-spring:scan` 태그는 매퍼 인터페이스가 위치할 기본 패키지를 지정하는 역할을 합니다.

프로젝트를 진행한 코드는 대부분 `v2.mvc.spring.blog` 패키지 아래에 있으므로, 매퍼도 동일한 패키지 아래에 `mapper` 라는 이름으로 생성할 예정입니다. 따라서 base-package 는 매퍼 인터페이스가 위치할 `v2.mvc.spring.blog.mapper` 가 됩니다.

09.02. 삭제 쿼리 작성하기

09.02.01. 삭제 쿼리 작성하기 개요

매퍼 인터페이스를 사용하기 위해서는, 매퍼 XML의 네임스페이스가 매퍼 인터페이스의 전체 경로와 일치해야 합니다. 우리가 기존에 만들었던 TB_BLG_CONT_SQL.xml 파일의 네임스페이스는 `TB_BLG_CONT` 였으므로 그대로 사용할 수가 없어서 매퍼 인터페이스를 위한 SQL.xml 파일을 새로 생성하겠습니다.

```
/src/main/resources/sqlmap/TB_BLG_CONT_SQL.xml
<mapper namespace="TB_BLG_CONT">
```

> 물론 `TB_BLG_CONT_SQL.xml` 의 네임스페이스를 수정할 수도 있으나, 그렇게 하면 기존 DAO 코드를 모두 수정해야 하는 문제가 생깁니다. 잘 동작하던 코드를 수정하면 기존 코드도 테스트해야 하므로 야근을 부르는 선택을 지양하는 우리로써는 용서할 수 없죠.
> ~~현업에 가 보시면 이런 논리로 여기저기 산개되어 있는 코드를 얼마든지 맛보실 수 있습니다.~~

09.02.02. 삭제 쿼리 매퍼 XML 파일 만들기

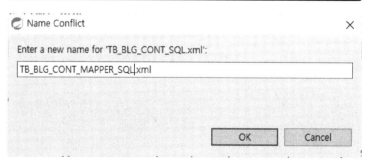

1. 패키지 탐색기에서 `TB_BLG_CONT_SQL.xml` 파일을 선택합니다

.

2. ctrl + c 를 눌러 복사합니다.

3. ctrl + v 를 눌러 붙여넣습니다.

4. 이름 변경 팝업이 보이면 `TB_BLG_CONT_MAPPER_SQL.xml` 을 입력합니다.

09.02.03. 생성된 TB_BLG_CONT_MAPPER_SQL.xml 비우기

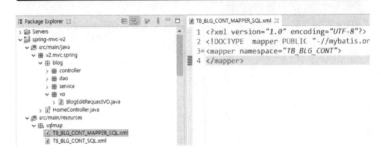

1. TB_BLG_CONT_MAPPER_SQL.xml 파일이 생성되었는지 확인합니다.

2. `<mapper>` ~ `</mapper>` 사이를 모두 선택합니다.

3. delete 버튼을 클릭해서 내용을 모두 삭제합니다.

09.02.04. 매퍼 네임스페이스 변경

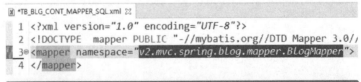

```
/src/main/resources/sqlmap/TB_BLG_CONT_MAPPER_SQ
L.xml
<mapper namespace="v2.mvc.spring.blog.mapper.BlogM
apper">
```

1. 매퍼의 네임스페이스를 `v2.mvc.spring.blog.mapper.BlogMa`

pper 로 변경합니다.

```
1  <?xml version="1.0" encoding="UTF-8"?>
2  <!DOCTYPE  mapper PUBLIC "-//mybatis.org//DTD Mapper 3.0//EN"
3  <mapper namespace="v2.mvc.spring.blog.mapper.BlogMapper">
4      <delete id="delete" parameterType="java.lang.Integer">
5          <![CDATA[
6          DELETE FROM TB_BLG_CONT
7          WHERE
8          BLG_CONT_SEQ = #{BLG_CONT_SEQ}
9          ]]>
10     </delete>
11 </mapper>
```

/src/main/resources/sqlmap/TB_BLG_CONT_MAPPER_SQ L.xml

```
<delete id="delete" parameterType="java.lang.Integer">
    <![CDATA[
    DELETE FROM TB_BLG_CONT
    WHERE
    BLG_CONT_SEQ = #{BLG_CONT_SEQ}
    ]]>
</delete>
```

1. 삭제 쿼리를 매퍼 XML 파일 안에 작성합니다.

데이터베이스에서 데이터를 수정하는 쿼리는 DELETE 입니다.

DELETE FROM 테이블명 WHERE 조건

09.03. 매퍼 인터페이스 만들기

1. `v2.mvc.spring.blog` 패키지 아래에 `mapper` 패키지를 생성합니다.

```
New Java Interface                                    □    ×

Java Interface
Create a new Java interface.                              (I)

Source folder:   spring-mvc-v2/src/main/java          Browse...

Package:         v2.mvc.spring.blog.mapper            Browse...

☐ Enclosing type:                                     Browse...

Name:            BlogMapper

Modifiers:       ⦿ public   ○ package   ○ private   ○ protected

Extended interfaces:                                   Add...

                                                       Remove

Do you want to add comments? (Configure templates and default value here)
                 ☐ Generate comments

(?)                              │  Finish  │    │  Cancel  │
```

1. `v2.mvc.spring.blog.mapper` 패키지 아래에 `BlogMapper` 인
   터페이스를 생성합니다.

```
 It Package Explorer 🔀          🖻 🖳 ⮕ 🗍     📄 TB_BLG_CONT_MAPPER_SQL.xml   📄 BlogMapper.java 🔀
 > 🗁 Servers                              ^      1  package v2.mvc.spring.blog.mapper;
 v 🎛 spring-mvc-v2                                2
    v 🌐 src/main/java                             3  public interface BlogMapper {
       v 🎛 v2.mvc.spring                          4      int delete(int blgContSeq);
          v ⊞ blog                                5  }
             > 🎛 controller                       6
             > 🎛 dao
             v 🎛 mapper
                > 📄 BlogMapper.java
```

**/src/main/java/v2.mvc.spring.blog.mapper/BlogMap
per.java**

```
int delete(int blgContSeq);
```

1. 인터페이스 메소드를 작성합니다.

메소드 이름은 매퍼 XML에서 정의한 `id` 와 똑같아야 합니다.

**/src/main/resources/sqlmap/TB_BLG_CONT_MAPPER_SQ
L.xml**

```
<delete id="delete"
```

매개변수 타입은 매퍼 XML에서 정의한 파라미터 타입과 동일하거나,
자동 캐스팅이 가능한 타입이어야 합니다.

**/src/main/resources/sqlmap/TB_BLG_CONT_MAPPER_SQ
L.xml**

```
<delete id="delete" parameterType="java.lang.Integ
er">
```

```java
1  package v2.mvc.spring.blog.mapper;
2
3  import org.apache.ibatis.annotations.Mapper;
4
5  @Mapper
6  public interface BlogMapper {
7      int delete(int blgContSeq);
8  }
9
```

**/src/main/java/v2.mvc.spring.blog.mapper/BlogMap
per.java**
@Mapper

1. 인터페이스 이름 위에 @Mapper 어노테이션을 붙입니다.

마이바티스는 @Mapper 어노테이션이 붙은 인터페이스를 스캔해서
프록시 객체를 만든 후 쿼리를 실행시킵니다. 따라서 반드시 인터페이
스를 매퍼로 인식하려면 @Mapper 어노테이션이 필요합니다.

> 프록시 객체라는 명칭에서 알 수 있듯이, 매퍼 인터페이스에
> 는 구현 클래스 클래스가 필요 없습니다. 마이바티스가 인터
> 페이스를 바탕으로 자동으로 객체를 생성합니다.

09.04. 서비스 구현 클래스에 매퍼 인터페이스 호출 기능 추가

```
13  @Service
14  public class BlogServiceImpl implements BlogService {
15
16      private BlogDAO blogDAO;
17      private BlogMapper blogMapper;
18
19      @Autowired
20      public BlogServiceImpl(BlogDAO blogDAO) {
21          this.blogDAO = blogDAO;
22      }
```

/src/main/java/v2.mvc/spring/blog/service/impl/B
logServiceImpl.java

```
private BlogMapper blogMapper;
```

1. 블로그 서비스 구현 클래스 BlogServiceImpl.java 파일을 엽니다.
2. blogMapper 멤버변수를 추가합니다.

```
13  @Service
14  public class BlogServiceImpl implements BlogService {
15
16      private BlogDAO blogDAO;
17      private BlogMapper blogMapper;
18
19      @Autowired
20      public BlogServiceImpl(BlogDAO blogDAO, BlogMapper blogMapper) {
21          this.blogDAO = blogDAO;
22          this.blogMapper = blogMapper;
23      }
```

```
public BlogServiceImpl(BlogDAO blogDAO, BlogMapper
blogMapper) {
```

314

```
this.blogMapper = blogMapper;
```

1. 생성자에 `BlogMapper` 타입 매개변수 `blogMapper` 를 추가합니다.
2. 매개변수 `blogMapper` 를 멤버변수 `blogMapper` 를 바인딩합니다.

09.04.03. 매퍼 인터페이스 호출 메소드 작성

```
37   @Override
38   public boolean edit(BlogEditRequestVO blogEditRequestVO) {
39       int affectRowsCount = this.blogDAO.update(blogEditRequestVO);
40       return affectRowsCount > 0;
41   }
42
43   @Override
44   public boolean delete(int blogContSeq) {
45       return this.blogMapper.delete(blogContSeq) > 0;
46   }
47 }
48
```

```
/src/main/java/v2.mvc/spring/blog/service/impl/B
logServiceImpl.java
@Override
public boolean delete(int blogContSeq) {
    return this.blogMapper.delete(blogContSeq) > 0
;
}
```

1. 매퍼 인터페이스를 호출하는 메소드 `delete` 를 추가합니다.

09.04.04. 서비스 인터페이스에 메소드 시그니쳐 추가

```
43    @Override
44    public boolean delete(int blogContSeq) {
45        return this.blogMa  The method delete(int) of type BlogServiceImpl must override or implement a supertype method
46    }                        2 quick fixes available:
47 }                             ● Create 'delete()' in super type 'BlogService'
48                               ● Remove '@Override' annotation
```

1. 서비스 구현 클래스에는 `delete` 메소드를 작성했으나 아직
   서비스 인터페이스에는 `delete` 메소드가 없으므로 STS 의
   기능을 이용해 자동 생성합니다.
2. 메소드 정의 위에 마우스를 올립니다.
3. 첫번째 항목을 클릭합니다.
4. `BlogService.java` 인터페이스를 열어서 `delete` 시그니쳐
   가 추가되었는지 확인합니다.

09.05. 컨트롤러와 뷰 수정

```
61   @PutMapping(value = "/edit/{blogContSeq}")
62   public String putEdit(BlogEditRequestVO blogEditRequestVO) {
63       boolean isSuccessEdit = this.blogService.edit(blogEditRequestVO);
64
65       if (isSuccessEdit) {
66           return "redirect:/edit/" + String.valueOf(blogEditRequestVO.getBlogContSeq());
67       }
68
69       return "redirect:/list";
70   }
71
72   @DeleteMapping(value = "/delete")
73   public String delete(int blogContSeq) {
74       this.blogService.delete(blogContSeq);
75       return "redirect:/list";
76   }
77 }
```

/src/main/java/v2/mvc/spring/blog/controller/Blo
gController.java

```
@DeleteMapping(value = "/delete")
public String delete(int blogContSeq) {
    this.blogService.delete(blogContSeq);
    return "redirect:/list";
}
```

1. 컨트롤러 파일 BlogController.java 파일을 엽니다.
2. 삭제 요청을 받아들이는 컨트롤러 메소드 delete 를 작성합니
다.

@DeleteMapping 은 삭제 요청이 왔을 때 반응하는 메소드를 지정하
기 위한 어노테이션입니다.

매개변수가 int 타입입니다.

```
public String delete(int blogContSeq) {
```

`int` 는 스프링이 특별히 관리하는 타입이 아니므로, 스프링은 `blogCo ntSeq` 라는 HTTP 매개변수가 요청으로 들어오면 자동으로 `int blog ContSeq` 로 변환합니다.

> HTTP 요청은 객체 형태가 아니더라도 매개변수로 전달받을 수 있다는 것을 확인합니다.

09.04.06. 상세 화면 뷰 코드 수정

```
20    <p>입력일 : <fmt:formatDate value="${blogCont.INSERT_DT}" pattern="yyyy.MM.dd HH:mm:ss" /></p>
21
22    <div>
23        <form method="post" action="/delete">
24            <input type="hidden" name = "_method" value = "delete"/>
25            <input type="hidden" name = "blogContSeq" value = "${blogCont.BLG_CONT_SEQ}"/>
26            <input type="submit" name="delete_button" value="삭제" />
27        </form>
28    </div>
29 </body>
```

/src/main/webapp/WEB-INF/views/blog/read.jsp

```
<div>
    <form method="post" action="/delete">
        <input type="hidden" name = "_method" valu
e = "delete"/>
        <input type="hidden" name = "blogContSeq"
value = "${blogCont.BLG_CONT_SEQ}"/>
        <input type="submit" name="delete_button"
value="삭제" />
    </form>
</div>
```

1. 상세 화면 뷰 파일 `read.jsp` 를 엽니다.
2. 입력일 태그 아래에 삭제 기능을 하는 HTML을 입력합니다.

`httpMethodFilter` 를 통과해서 DELETE 메소드를 흉내내려면 `_meth od` 속성이 반드시 필요합니다.

```
<input type="hidden" name = "_method" value = "del
ete"/>
```

`input hidden` 태그는 HTML에 표시는 안 되지만 서버로 전송되어야
하는 값을 설정할 때 쓰입니다.

```
<input type="hidden" name = "blogContSeq" value =
"${blogCont.BLG_CONT_SEQ}"/>
```

삭제시 블로그 글 번호가 보여질 필요는 없으므로 폼으로 전송합니다.

삭제 버튼도 잊지 마세요.

```
<input type="submit" name="delete_button" value="삭
제" />
```

10. 블로그 컨텐츠 목록 만들기

10.01. 블로그 컨텐츠 목록 요청 VO 만들기

10.01.01. 블로그 컨텐츠 목록 요청 VO 개요

블로그 컨텐츠 목록 요청 VO는 처리에 필요한 값을 들고 다니는 컨테이너 역할을 하는 객체입니다.

- a.) 스프링이 HTTP 요청 매개변수를 담아서 컨트롤러 메소드에 전달하면
- b.) 컨트롤러가 서비스에 전달하고
- c.) 서비스는 매퍼 인터페이스에 전달하며
- d.) 매퍼 인터페이스는 매퍼 XML 에 전달합니다.

New Java Class — □ ×

Java Class

Create a new Java class.

Source folder:	spring-mvc-v2/src/main/java	Browse...
Package:	v2.mvc.spring.blog.vo	Browse...
☐ Enclosing type:		Browse...

Name:	BlogListRequestVO
Modifiers:	⦿ public ○ package ○ private ○ protected
	☐ abstract ☐ final ☐ static

Superclass:	java.lang.Object	Browse...
Interfaces:		Add...
		Remove

Which method stubs would you like to create?

☐ public static void main(String[] args)
☐ Constructors from superclass
☑ Inherited abstract methods

Do you want to add comments? (Configure templates and default value here)

☐ Generate comments

⑦ Finish Cancel

1. `v2.mvc.spring.blog.vo` 패키지 아래 `BlogListRequestVO` 클래스를 생성합니다.

10.01.03. 블로그 컨텐츠 목록 요청 VO 멤버 변수 선언

```java
1  package v2.mvc.spring.blog.vo;
2
3  public class BlogListRequestVO {
4      private String search;
5
6      public String getSearch() {
7          return search;
8      }
9
10     public void setSearch(String search) {
11         this.search = search;
12     }
13 }
14
```

/src/main/java/v2/mvc/spring/blog/vo/BlogListReq
uestVO.java

```java
private String search;

public String getSearch() {
    return search;
}

public void setSearch(String search) {
    this.search = search;
}
```

1. search 멤버변수를 선언합니다.
2. Generate Getters and Setters 기능을 통해 getter와 setter를 생성합니다.

멤버 변수가 search 밖에 없으므로 굳이 RequestVO 를 만들 필요가

없다고 생각하실 수도 있습니다만, 어플리케이션이 확장됨에 따라 추가로 입력받는 항목이 많아질 가능성은 얼마든지 있습니다. 따라서 확장성을 고려해 개발하는 경우 습관적으로 VO를 만드는 경우가 많으니 참고해 주세요.

10.02. 블로그 컨텐츠 목록 응답 VO 만들기

10.02.02. 블로그 컨텐츠 목록 응답 VO 개요

블로그 컨텐츠 목록 응답 VO는 응답에 필요한 값들을 담아 전달하는
객체입니다.

- a.) 매퍼 XML 이 쿼리를 실행시킨 결과를 매퍼 인터페이스에
  전달하고
- b.) 매퍼 인터페이스는 다시 자신을 호출한 서비스 구현 클래스
  에 값을 반환하며
- c.) 서비스는 역시 호출자인 컨트롤러에 값을 담습니다.
- d.) 컨트롤러는 모델에 값을 담아 뷰에 전달하고
- e.) 뷰는 이 값을 HTML로 렌더링합니다.

1. `v2.mvc.spring.blog.vo` 패키지 아래 `BlogListResponseVO`
   클래스를 생성합니다.

```java
1  package v2.mvc.spring.blog.vo;
2
3  import java.time.LocalDateTime;
4
5  public class BlogListResponseVO {
6      private int blgContSeq;
7      private String title;
8      private String contBdy;
9      private LocalDateTime insertDt;
10
11     public int getBlgContSeq() {
12         return blgContSeq;
13     }
14     public void setBlgContSeq(int blgContSeq) {
15         this.blgContSeq = blgContSeq;
16     }
17     public String getTitle() {
18         return title;
19     }
20     public void setTitle(String title) {
21         this.title = title;
22     }
23     public String getContBdy() {
24         return contBdy;
25     }
26     public void setContBdy(String contBdy) {
27         this.contBdy = contBdy;
28     }
29     public LocalDateTime getInsertDt() {
30         return insertDt;
31     }
32     public void setInsertDt(LocalDateTime insertDt) {
33         this.insertDt = insertDt;
34     }
35
36 }
```

```java
private int blgContSeq;
private String title;
private String contBdy;
private LocalDateTime insertDt;

public int getBlgContSeq() {
    return blgContSeq;
}
public void setBlgContSeq(int blgContSeq) {
    this.blgContSeq = blgContSeq;
}
public String getTitle() {
    return title;
}
public void setTitle(String title) {
    this.title = title;
}
public String getContBdy() {
    return contBdy;
}
public void setContBdy(String contBdy) {
    this.contBdy = contBdy;
}
public LocalDateTime getInsertDt() {
    return insertDt;
}
public void setInsertDt(LocalDateTime insertDt) {
    this.insertDt = insertDt;
}
```

1. blgContSeq 멤버변수를 선언합니다.

2. `title` 멤버변수를 선언합니다.
3. `contBdy` 멤버변수를 선언합니다.
4. `insertDt` 멤버변수를 선언합니다.
5. Generate Getters and Setters 기능을 통해 getter와 setter를 생성합니다.

멤버변수 값들이 모두 데이터베이스 테이블과 매핑되는 것을 알 수 있습니다.

```
private int blgContSeq;
private String title;
private String contBdy;
private LocalDateTime insertDt;
```

개발을 진행하면서 데이터베이스의 행 값을 객체 인스턴스에 담을 예정이기 때문에 클래스를 선언한 것입니다.

`insertDt` 멤버변수가 `LocalDateTime` 형식입니다.

```
private LocalDateTime insertDt;
```

`LocalDateTime` 은 자바8에서 도입된 타입으로, 자바 7버전까지 사용하던 `Date` 객체와 `Calendar` 객체가 버그 + 나쁜 사용성 콤보로 모두를 불편하게 하던 것을 개선한 객체입니다. ~~야 이제 우리도 C# 이나 파이썬처럼 날짜를 제대로 다룰 수 있게 되었어~~

```
33   public void setInsertDt(LocalDateTime insertDt) {
34       this.insertDt = insertDt;
35   }
36
37   public String getInsertDtFormat() {
38       return this.insertDt.format(DateTimeFormatter.ofPattern("yyyy-MM-dd HH:mm:ss"));
39
40 }
41
```

/src/main/java/v2/mvc/spring/blog/vo/BlogListRes ponseVO.java

```
public String getInsertDtFormat() {
    return this.insertDt.format(DateTimeFormatter.
ofPattern("yyyy-MM-dd HH:mm:ss"));
}
```

자바 빈즈 규칙 get{가져올이름} 에 따라 getInsertDtFormat 메소
드를 정의했습니다. 이 메소드는 나중에 뷰에서 사용합니다.

> 굳이 멤버변수가 없더라도 자바 빈즈 규칙만 맞추면 사용할
> 수 있다는 것을 알기 위한 예제입니다.

10.03. 블로그 컨텐츠 목록 쿼리 작성하기

10.03.01. 블로그 컨텐츠 목록 쿼리 작성 개요

검색어가 아무것도 입력되지 않으면 검색 조건 없음, 뭔가가 입력되면
입력된 글자를 포함하는지 검사하는 마이바티스 로직을 만들어봅니다
.

10.03.02. 리절트맵 작성하기

```
10    </delete>
11
12    <resultMap
13        id="selectListResultMap"
14        type="v2.mvc.spring.blog.vo.BlogListResponseVO">
15        <result column="BLG_CONT_SEQ" property="blgContSeq" jdbcType="INTEGER" javaType="int"/>
16        <result column="TITLE" property="title" jdbcType="NVARCHAR" javaType="String"/>
17        <result column="CONT_BDY" property="contBdy" jdbcType="NVARCHAR" javaType="String"/>
18        <result column="INSERT_DT" property="insertDt"
19        jdbcType="TIMESTAMP" javaType="java.time.LocalDateTime"/>
20    </resultMap>
```

/src/main/resources/sqlmap/TB_BLG_CONT_MAPPER_SQ
L.xml

```xml
<resultMap
    id="selectListResultMap"
    type="v2.mvc.spring.blog.vo.BlogListResponseVO
">

    <result column="BLG_CONT_SEQ" property="blgCon
tSeq" jdbcType="INTEGER" javaType="int"/>
    <result column="TITLE" property="title" jdbcTy
pe="NVARCHAR" javaType="String"/>
    <result column="CONT_BDY" property="contBdy" j
dbcType="NVARCHAR" javaType="String"/>
    <result column="INSERT_DT" property="insertDt"

        jdbcType="TIMESTAMP" javaType="java.time.L
ocalDateTime"/>

</resultMap>
```

330

1. 매퍼 XML 파일인 `TB_BLG_CONT_MAPPER_SQL.xml` 을 엽니다.
2. 삭제 쿼리 하단에 리절트맵을 작성합니다.

리절트맵(result map)은 데이터베이스의 결과를 자바로 바꿔주는 기능을 합니다.
데이터베이스 열은 대부분 스네이크케이스이지만 자바는 카멜케이스를 쓰죠. 이 미스매치를 해결하기 위한 방법이 3개가 있습니다.

- a.) 쿼리에서 `as` 를 통해 결과를 강제로 카멜케이스로 바꾸는 방법
- b.) 마이바티스 설정을 통해 자동으로 바꾸는 방법
- c.) 리절트맵을 이용해서 데이터베이스 결과 열의 이름을 자바의 객체명과 매핑시켜주는 방법

a.) 방법은 굉장히 번거롭습니다. 쿼리를 작성할 때마다 `as` 를 빠지지 않고 붙여줘야 하고, 혹시나 멤버변수 이름이 변경되기라도 한다면 야근은 따놓은 당상입니다.
b.) 방법은 대단히 편리합니다만, 모든 경우에 사용할 수는 없습니다. 예컨데 `CONT_BDY` 열은 `contBdy` 로 자연스럽게 바뀌지만, `content_body` 는 `contentBody` 로 바뀌므로 자바 객체의 멤버변수와 매핑되지 않는 문제가 생깁니다.
c.) 방법이 일반적으로 ~~귀찮은 코딩을 직접 하지 않는 높으신 분들이~~ 가장 추천하는 방법입니다. 한번 매핑을 시켜 놓으면 나중에 필드가 변경되어도 리절트맵만 수정하면 되거든요.

`id` 는 당연히 고정 식별자이고, `type` 은 반환할 데이터 타입입니다.

```
<resultMap
    id="selectListResultMap"
    type="v2.mvc.spring.blog.vo.BlogListResponseVO
">
```

이번 예제에서는 데이터베이스 응답 결과를 뷰까지 전달하는 `BlogLi
stResponseVO` 를 사용합니다.

목록을 반환하는 데 리스트 타입이 아니라 객체 타입을 명시하는 것을
의아하게 생각하실 수도 있는데요.

`type="v2.mvc.spring.blog.vo.BlogListResponseVO"`

마이바티스에서 목록을 반환하는지, 아니면 객체를 반환하는지는 매
퍼 XML이 아니라 `sqlSessionTemplate` 의 메소드가 결정합니다. `sel
ectOne` 메소드가 실행되면 객체를 반환하고, `selectList` 메소드가
실행되면 목록 형태로 반환합니다.

`<result` 는 매핑할 열 정보입니다.

```
<result column="BLG_CONT_SEQ" property="blgContSeq
" jdbcType="INTEGER" javaType="int"/>
<result column="TITLE" property="title" jdbcType="
NVARCHAR" javaType="String"/>
<result column="CONT_BDY" property="contBdy" jdbcT
ype="NVARCHAR" javaType="String"/>
<result column="INSERT_DT" property="insertDt"
    jdbcType="TIMESTAMP" javaType="java.time.Local
DateTime"/>
```

* `column` 속성 : 데이터베이스의 열 이름입니다.

- `property` 속성 : 자바의 멤버변수명(혹은 맵의 키)입니다.
- `jdbcType` : JDBC의 타입입니다. 각 데이터베이스 벤더별로 열 타입에 해당하는 JDBC 타입이 따로 정의되어 있습니다.
- `javaType` : 자바의 타입입니다.

10.03.03. 쿼리 작성하기

```
20      </resultMap>
21
22⊖     <select id="selectList"
23          parameterType="v2.mvc.spring.blog.vo.BlogListRequestVO"
24          resultMap="selectListResultMap">
25          <![CDATA[
26          SELECT
27          BLG_CONT_SEQ,
28          TITLE,
29          TO_CHAR(CONT_BDY) as CONT_BDY,
30          INSERT_DT
31          from
32          TB_BLG_CONT
33          WHERE 1 = 1
34          ]]>
35⊖         <if test="search != null">
36              AND (
37                  TITLE LIKE '%'||#{search}||'%'
38                  OR CONT_BDY LIKE '%'||#{search}||'%'
39              )
40          </if>
41      </select>
42  </mapper>
```

/src/main/resources/sqlmap/TB_BLG_CONT_MAPPER_SQ L.xml

```
<select id="selectList"
    parameterType="v2.mvc.spring.blog.vo.BlogListR
equestVO"
    resultMap="selectListResultMap">
    <![CDATA[
    SELECT
    BLG_CONT_SEQ,
    TITLE,
```

```
    TO_CHAR(CONT_BDY) as CONT_BDY,
    INSERT_DT
    from
    TB_BLG_CONT
    WHERE 1 = 1
    ]]>
    <if test="search != null">
        AND (
            TITLE LIKE '%'||#{search}||'%'
            OR CONT_BDY LIKE '%'||#{search}||'%'
        )
    </if>
</select>
```

1. 리절트맵 하단에 목록 조회 쿼리를 작성합니다.

파라미터 타입은 요청 전반의 값을 담아가지고 다니는 `BlogListRequ estVO` 입니다.

```
parameterType="v2.mvc.spring.blog.vo.BlogListReque
stVO"
```

리절트맵을 사용하려면 `resultType` 대신 `resultMap` 을 선언하면
됩니다.

```
resultMap="selectListResultMap"
```

`resultMap` 속성의 값은 리절트맵의 `id` 입니다.

```
<resultMap id="selectListResultMap"
```

`where 1 = 1` 은 관습적인 구문입니다.

WHERE 1 = 1

`1 = 1` 은 늘 참이기 때문에 데이터에 따라 추가 조건이 붙을 수도 있고, 붙지 않을 수도 있는 경우에는 자주 사용됩니다.

조건이 2개 이상일 경우 처음에 시작하는 조건은 `where` 로 시작하고 두번째로 시작하는 조건은 `and` 혹은 `or` 등 연결 논리연산자여야 합니다.
매 번 첫번째 조건인지 검사하는 것은 번거롭기 때문에 무조건 `where 1 = 1` 을 써 둔 후 나머지 조건들은 연결 논리연산자로 이어붙이는 일종의 트릭입니다.

CDATA 안에 들어 있으면 마이바티스의 조건 분기 기능을 사용할 수가 없기 때문에 CDATA 를 닫아줍니다.

]]>

`<if` 문은 마이바티스에서 조건을 나타냅니다.

`<if test="search != null">`

`test` 는 조건 규칙을 나타내는 항목입니다.
만약 키워드가 있으면 `<if>` ~ `</if>` 안의 쿼리문이 데이터베이스 쿼리에 포함됩니다. 이처럼 쿼리의 내용이 파라미터가 아니라 마이바티스의 규칙에 의해서 변경되는 것을 동적쿼리(Dynamic Query - 다이나믹 쿼리)라고 부릅니다.

335

SQL 쿼리 조건에서 포함을 나타내는 구문은 `like` 입니다.

```
TITLE LIKE '%'||#{search}||'%'
```

```
CONT_BDY LIKE '%'||#{search}||'%'
```

- title like '검색어%' : 검색어로 시작하는 데이터를 찾습니다.
- title like '%검색어` : 검색어로 끝나는 데이터를 찾습니다.
- title like '%검색어%` : 검색어가 포함된 데이터를 찾습니다.

마이바티스에서는 쿼리 파라미터에 `'` 표시를 붙이지 않기 때문에 `title like '%#{search}%'` 형식으로 표기하기는 어렵습니다. 따라서 오라클의 문자열 이어붙이기 연산자 `||` 를 이용해 문자열을 이어붙입니다.

만약 `search` 파라미터의 값이 서치 라면 `TITLE LIKE '%'||#{search}||'%'` 구문은 `TITLE LIKE '%서치%'` 형태로 바뀌어서 오라클에서 실행됩니다.

> `||` 기호는 자바에서 "또는"을 나타내므로 헷깔리지 않도록 주의하세요.
> 이어붙이기 연산자는 데이터베이스 벤더마다 다릅니다. 예를 들어 오라클은 `||` 를 사용하지만, 마리아디비는 `CONCAT` 함수를 사용하는 식입니다.

SQL 쿼리 조건에서 `or` 는 "또는"을 나타내는 구문입니다.

```
TITLE LIKE '%'||#{search}||'%'
OR CONT_BDY LIKE '%'||#{search}||'%'
```

`A or B` 일때 A 혹은 B 둘 중 하나만 만족하면 됩니다. 따라서 이 코드는 `TITLE` 열의 값에 `#{search}` 에 해당하는 값이 포함되거나, `CONT_BDY` 열의 값에 `#{search}` 에 해당하는 값이 포함되는 열의 데이터를 조회하라는 명령이 됩니다.

조건 쿼리만 따로 떼어 보겠습니다.

```
WHERE 1 = 1
AND (
TITLE LIKE '%'||#{search}||'%'
OR CONT_BDY LIKE '%'||#{search}||'%'
)
```

자바로 표현해 보면 다음과 같습니다.

```
(1 == 1) && (title.contains(search) || contBdy.contains(search))
```

만약 `search` 파라미터의 값이 서치 라고 가정했을 때 위 구문을 SQL로 바꿔보면 아래와 같은 뜻이 됩니다.

```
1 = 1 and (title like '%서치%' or cont_bdy like '%서치%')
```

따라서 제목에 검색어를 포험하거나, 본문에 검색어를 포함하면 참입니다.

10.04. 블로그 컨텐츠 목록 매퍼 인터페이스, 서비스, 컨트롤러 코드 작성하기

```
10  @Mapper
11  public interface BlogMapper {
12      int delete(int blgContSeq);
13      List<BlogListResponseVO> selectList(BlogListRequestVO blogListRequestVO);
14  }
```

```
/src/main/java/v2.mvc.spring.blog.mapper/BlogMap
per.java
List<BlogListResponseVO> selectList(BlogListReques
tVO blogListRequestVO);
```

1. `BlogMapper` 파일을 엽니다.
2. 코드를 작성합니다.

인터페이스의 매개변수 타입과 매퍼 XML 쿼리에서 파라미터타입으로 선언한 타입이 동일해야 합니다.

```
/src/main/java/v2.mvc.spring.blog.mapper/BlogMap
per.java
selectList(BlogListRequestVO blogListRequestVO)
```

```
/src/main/resources/sqlmap/TB_BLG_CONT_MAPPER_SQ
L.xml
<select id="selectList"
    parameterType="v2.mvc.spring.blog.vo.BlogListR
equestVO"
```

인터페이스 반환값과 매퍼 XML 리절트맵에서 선언한 타입이 동일해야 합니다.

338

```
List<BlogListResponseVO> selectList
```

```
<resultMap
    id="selectListResultMap"
    type="v2.mvc.spring.blog.vo.BlogListResponseVO
">
```

매퍼 인터페이스가 리스트 타입을 반환할 경우 마이바티스는 sqlSes
sionTemplate.selectList 메소드를 호출합니다.

```
List<BlogListResponseVO> selectList
```

10.04.02. 블로그 컨텐츠 목록 서비스 메소드 작성

```
46   @Override
47   public boolean delete(int blogContSeq) {
48       return this.blogMapper.delete(blogContSeq) > 0;
49   }
50
51   @Override
52   public List<BlogListResponseVO> list(BlogListRequestVO blogListRequestVO) {
53       List<BlogListResponseVO> result = this.blogMapper.selectList(blogListRequestVO);
54       return result;
55   }
56 }
57
```

```
@Override
public List<BlogListResponseVO> list(BlogListReque
stVO blogListRequestVO) {
    List<BlogListResponseVO> result = this.blogMap
per.selectList(blogListRequestVO);
    return result;
}
```

1. `BlogServiceImpl` 서비스 구현 클래스 파일을 엽니다.
2. 코드를 작성합니다.
3. 자동 불러오기로 필요한 패키지들을 선언합니다.
4. STS의 기능을 이용해 `list` 메소드의 서비스 인터페이스를 생성합니다.

10.04.03. 블로그 컨텐츠 목록 컨트롤러 메소드 작성

```
75     @DeleteMapping(value = "/delete")
76     public String delete(int blogContSeq) {
77         this.blogService.delete(blogContSeq);
78         return "redirect:/list";
79     }
80
81     @GetMapping("/list")
82     public String list(BlogListRequestVO blogListRequestVO, Model model) {
83         model.addAttribute("blogListRequestVO", blogListRequestVO);
84
85         List<BlogListResponseVO> blogListResponseVOList = this.blogService.list(blogListRequestVO);
86         model.addAttribute("blogListResponseVOList", blogListResponseVOList);
87         return "/blog/list";
88     }
89 }
90
```

```
@GetMapping("/list")
public String list(BlogListRequestVO blogListReque
stVO, Model model) {
    model.addAttribute("blogListRequestVO", blogLi
stRequestVO);

    List<BlogListResponseVO> blogListResponseVOLis
t = this.blogService.list(blogListRequestVO);
    model.addAttribute("blogListResponseVOList", b
logListResponseVOList);
    return "/blog/list";
}
```

모델에 데이터를 두개 전달합니다. 하나는 `blogListRequestVO` 이고, 다른 하나는 `blogListResponseVOList` 입니다.

```
model.addAttribute("blogListRequestVO", blogListRe
questVO);
```

```
model.addAttribute("blogListResponseVOList", blogL
istResponseVOList);
```

10.04.04. 블로그 컨텐츠 목록 뷰 작성

```
1  <%@ page language="java" contentType="text/html; charset=UTF-8"
2      pageEncoding="UTF-8"%>
3  <%@ taglib prefix="c" uri="http://java.sun.com/jsp/jstl/core"%>
4  <%@ taglib prefix="fn" uri="http://java.sun.com/jsp/jstl/functions"%>
5  <!DOCTYPE html>
6  <html>
7  <head>
8  <meta charset="UTF-8">
9  <title>블로그 컨텐츠 목록</title>
10 </head>
11 <body>
12     <div>
13         <form>
14             <input type="text" name="search" value="${blogListRequestVO.search}" style="width:50%;" />
15             <input type="submit" name="search_button" value="검색" />
16         </form>
17     </div>
18     <c:if test="${not empty blogListResponseVOList}">
19     <table>
20         <thead>
21             <tr>
22                 <th>글번호</th>
23                 <th>제목</th>
24                 <th>입력일</th>
25                 <th>수정</th>
26             </tr>
27         </thead>
28         <tbody>
29             <c:forEach var="blogListResponseVO" items="${blogListResponseVOList}">
30             <tr>
31                 <td>${ blogListResponseVO.blgContSeq}</td>
32                 <td>${ blogListResponseVO.title}</td>
33                 <td>${ blogListResponseVO.insertDtFormat}</td>
34                 <td>
35                     <a href="/edit/${ blogListResponseVO.blgContSeq}">수정</a>
36                 </td>
37             </tr>
38             </c:forEach>
39         </tbody>
40     </table>
41     </c:if>
42     <c:if test="${empty blogListResponseVOList}">
43         <strong>검색 결과가 없습니다.</strong>
44     </c:if>
45 </body>
46 </html>
```

```
<%@ page language="java" contentType="text/html; c
harset=UTF-8"
    pageEncoding="UTF-8"%>
<%@ taglib prefix="c" uri="http://java.sun.com/jsp
/jstl/core"%>
```

341

```
/src/main/webapp/WEB-INF/views/blog/list.jsp
```

```
<%@ taglib prefix="fn" uri="http://java.sun.com/js
p/jstl/functions"%>
<!DOCTYPE html>
<html>
<head>
<meta charset="UTF-8">
<title>블로그 컨텐츠 목록</title>
</head>
<body>
    <div>
        <form>
            <input type="text" name="search" value
="${blogListRequestVO.search}" style="width:50%;"
/>
            <input type="submit" name="search_butt
on" value="검색" />
        </form>
    </div>
    <c:if test="${not empty blogListResponseVOList
}">
    <table>
        <thead>
            <tr>
                <th>글번호</th>
                <th>제목</th>
                <th>입력일</th>
                <th>수정</th>
            </tr>
        </thead>
        <tbody>
            <c:forEach var="blogListResponseVO" it
ems="${blogListResponseVOList}">
                <tr>
```

```
                <td>${ blogListResponseVO.blgContS
eq}</td>
                <td>${ blogListResponseVO.title}</
td>
                <td>${ blogListResponseVO.insertDt
Format}</td>
                <td>
                  <a href="/edit/${ blogListResp
onseVO.blgContSeq}">수정</a>
                </td>
            </tr>
          </c:forEach>
        </tbody>
    </table>
    </c:if>
    <c:if test="${empty blogListResponseVOList}">
        <strong>검색 결과가 없습니다.</strong>
    </c:if>
</body>
</html>
```

1. `list.jsp` 파일을 생성합니다.
2. 위 내용을 입력합니다.

`c` 는 jstl 의 핵심(core - 코어) 라이브러리입니다. 조건문이나 반복문 등을 실행할 때 사용합니다.

```
<%@ taglib prefix="c" uri="http://java.sun.com/jsp
/jstl/core"%>
```

폼에 메소드 속성을 지정하지 않으면 HTML은 기본값인 GET으로 인식합니다.

```
<form>
    <input type="text" name="search" value="${blog
ListRequestVO.search}" style="width:50%;" />
    <input type="submit" name="search_button" valu
e="검색" />
</form>
```

폼 메소드 속성이 GET이라면 폼 태그는 {현재주소}?{키}={값} 규칙에 따라 쿼리 매개변수를 만들어냅니다.
만약 검색어에 "myname"이라는 단어를 넣고 검색 버튼을 누른다면 http://localhost:8080/list?search=myname 주소로 이동하게 됩니다.

> 쿼리 매개변수는 URL 뒤에 ? 로 시작하고 {키}={값} 형태로 표기되며 & 로 이어붙이는 형식을 말합니다. 예를 들어 http://localhost:8080/sample?id=123&name=spring URL이 있다고 한다면 ?id=123&name=spring 부분이 쿼리 매개변수입니다.

---

c:if 는 JSTL에서 조건을 나타냅니다.

```
<c:if test="${not empty blogListResponseVOList}">
```

test="" 안에 조건을 넣으면 됩니다.
not_empty 는 "비어있지 않다면"이라는 의미로, 스칼라 타입이라면 != null 구문과 동일하고, 리스트 타입이라면 비어있지 않다(length > 0) 는 뜻입니다.
따라서 이 구문은 blogListResponseVOList 가 비어있지 않다면 </c:if> 가 나올 때까지 실행한다는 의미가 됩니다.

345

`<table>` 은 테이블을 만드는 HTML 태그입니다. 구조는 다음과 같습니다.

```
<table>
    <thead>
        <tr>
            <th>헤더1</th>
            <th>헤더2</th>
        </tr>
    </thead>
    <tbody>
        <tr>
            <td>항목 1</td>
            <td>항목 2</td>
        </tr>
    </tbody>
</table>
```

- table : 테이블 태그를 시작합니다.
- thead : 헤더 영역을 나타냅니다.
- tr : 한 줄(행)을 나타냅니다.
- th : 헤더의 한 칸(열)입니다.
- tbody : 본문 영역을 나타냅니다.
- td : 본문의 한 칸(열) 입니다.

`<c:forEach` 는 JSTL의 반복문입니다.

```
<c:forEach var="blogListResponseVO" items="${blogListResponseVOList}">
```

`<c:forEach` 로 반복을 시작하고 `</c:forEach>` 로 반복을 끝냅니다.

`var` 에는 리스트의 항목이, `items` 에는 리스트 객체가 들어갑니다.
이 코드를 자바로 표현하면 다음과 같습니다.

```
for (BlogListResponseVO blogListResponseVO : blogL
istResponseVOList)
```

테이블 구조에서 보통 헤더는 고정되어 있고 본문 내용만 반복되기 때
문에 `tbody` 태그 이후에 `<c:forEach` 태그가 시작되는 것을 볼 수 있
습니다.

```
<tbody>
    <c:forEach var="blogListResponseVO" items="${b
logListResponseVOList}">
```

목록에서 수정으로 이동하는 링크를 넣었습니다.

```
<a href="/edit/${ blogListResponseVO.blgContSeq}">
수정</a>
```

`<c:if` 에서 `empty` 는 비어있음을 나타냅니다.

```
<c:if test="${empty blogListResponseVOList}">
```

`not empty` 의 반대이므로 객체일 때는 `== null` , 리스트 형태일 때는
`.length == 0` 과 동일한 뜻입니다.

해당 코드는 목록에 값이 없을 때 처리를 위해 작성했습니다.

```
<c:if test="${empty blogListResponseVOList}">
    <strong>검색 결과가 없습니다.</strong>
</c:if>
```

10.05. 블로그 컨텐츠 목록 확인하기

10.05.01. 전체 목록 확인하기

1. http://localhost:8080/list 에 접속해서 목록이 잘 나오는지 확인합니다.

10.05.02. 검색 목록 확인하기

1. 목록 페이지에서 검색어를 입력해서, 원하는 검색어가 나오는지 확인합니다.

10.05.03. 검색 결과가 없을 때 목록 확인하기

1. 목록 페이지에서 컨텐츠에 등록되지 않은 검색어를 입력해서, 검색 결과가 없습니다 페이지가 나오는지 확인합니다.

11. 댓글 추가 기능 만들기

11.01. 댓글 추가 개요

이번 챕터에서는 데이터베이스의 외래키, 구현클래스부터 만들고 인터페이스를 나중에 만드는 방법, 비동기 통신(Ajax) 구현하기 등을 알아봅니다.

11.02. 댓글 데이터베이스 작업하기

11.02.01. 댓글 테이블 생성

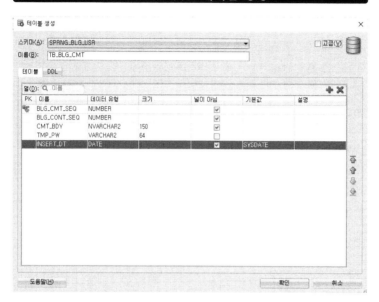

1. sqldeveloper를 실행합니다.

2. SPRNG_BLG_USR 계정으로 접속합니다.

3. 왼쪽의 탐색기에서 테이블을 우클릭합니다.

4. 새 테이블 메뉴를 누릅니다.

5. `BLG_CMT_SEQ` 열을 추가합니다.

6. `BLG_CMT_SEQ` 열에 PK를 설정합니다.

7. `BLG_CONT_SEQ` 열을 추가합니다.

8. `CMT_BDY` 열을 추가합니다. 댓글 내용을 저장하는 열입니다.

9. `TMP_PW` 열을 추가합니다. 임시 비밀번호를 저장하

10. `INSERT_DT` 열을 추가합니다.

11. 아직 확인 버튼은 누르지 마세요.

`BLG_CONT_SEQ` 열은 블로그 컨텐츠 행을 가리키는 외래키 역할을 합니다. 외래키란 하나의 테이블 행이 다른 테이블의 행을 가리키는 것을 말합니다.

블로그를 예로 들어보면, 댓글은 컨텐츠에 달리죠. 따라서 댓글 정보는 어떤 컨텐츠의 댓글인지 알아야 합니다. 이처럼 하나의 열이 다른 열과 연결되어 있을 때 "관계가 있다"라고 표현하고 여러 테이블 사이에 관계가 연결될 수 있기 때문에 "관계형 데이터베이스"라고 부릅니다.

대부분의 관계형 데이터베이스는 외래키라는 방식을 통해 서로의 관계를 표현합니다. 테이블의 열 관계를 명시적으로 표기하는 것입니다. 외래키가 없다고 해서 관련된 정보를 조회하지 못하거나 한 것은 아니지만 외래키를 맺어 놓으면 a.) 명시적으로 관계가 보이고, b.) 인덱스가 생성되므로 성능에 잇점이 있으며 c.) 관련된 데이터를 DBMS 레벨에서 일관되게 삭제하거나 변경할 수 있다 라는 장점이 있습니다.

`TMP_PW` 열은 임시 비밀번호를 저장하기 위해 만들었습니다. 온라인 커뮤니티 등에 보면 익명 사용자가 자신의 글을 삭제하기 위해 임시 비밀번호를 설정하는 것을 가끔 볼 수 있는데요. 이러한 임시 비밀번호를 저장하기 위한 용도입니다.

이미지대로 잘 따라하셨다면 `TMP_PW` 열만 널이 아님에 체크가 되어 있지 않다는 것을 아실겁니다. 즉, 임시 비밀번호는 설정할 수도 있고, 아닐 수도 있습니다.

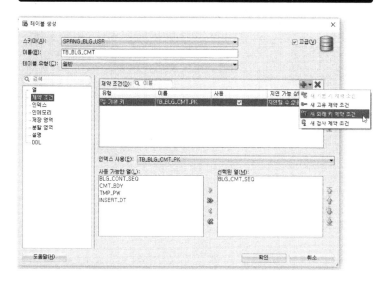

1. 테이블 생성 팝업 왼쪽에 "열"이 선택되어 있습니다.

2. 아래의 "제약 조건" 항목을 선택합니다.

3. 기본 키가 제약조건으로 이미 존재하는 것을 확인합니다.

4. 녹색 + 버튼을 클릭해서 새 외래키 조건을 클릭합니다.

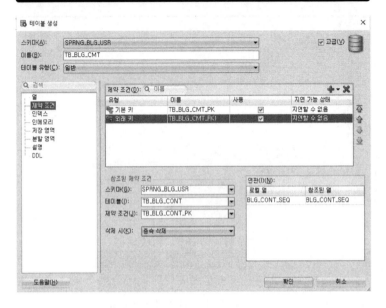

1. 행이 추가된 것을 확인합니다.
2. 스키마가 `SPRNG_BLG_USR` 인지 확인합니다.
3. 테이블을 `TB_BLG_CONT` 로 선택합니다.
4. 제약 조건을 `TB_BLG_CONT` 로 선택합니다.
5. 확인 버튼을 클릭합니다.

외래키가 있는 테이블을 "자식 테이블", 외래키가 가리키는 테이블을 "부모 테이블"이라고 합니다. 댓글이 있는 `TB_BLG_CMT` 테이블이 자식 테이블이 되고, 댓글이 가리키는 `TB_BLG_CONT` 테이블이 부모 테이블이 됩니다.

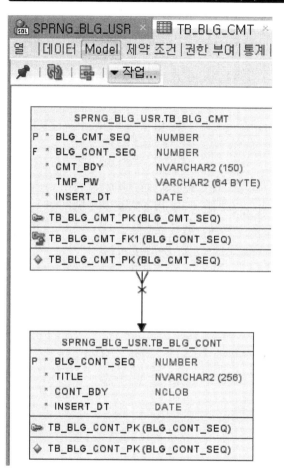

1. sqldeveloper 왼쪽 메뉴에서 테이블을 펼칩니다.
2. `TB_BLG_CMT` 테이블을 더블클릭합니다.
3. 오른쪽 편집기에서 Model 탭을 클릭합니다.
4. 테이블이 표시되고 둘 사이가 화살표로 연결되어 있는지 확인합니다.

이렇게 생긴 그림을 ERD(Entity Relationship Diagram)라고 부르며,
각 테이블(entity - 엔티티)간의 관계(relation)를 보여줍니다.

11.02.05. 오라클에 저장된 형태 확인하기

1. sqldeveloper 왼쪽 메뉴에서 테이블을 펼칩니다.
2. `TB_BLG_CMT` 테이블을 더블클릭합니다.
3. 오른쪽 편집기에서 제약조건 탭을 클릭합니다.
4. `TB_BLG_CMT_FK1` 항목이 있는지 확인합니다.

워크시트	질의 작성기

```
CREATE SEQUENCE
"SPRNG_BLG_USR"."SEQ_BLG_CMT"
MINVALUE 1;
```

```
CREATE SEQUENCE
"SPRNG_BLG_USR"."SEQ_BLG_CMT"
MINVALUE 1;
```

1. sqldeveloper를 엽니다.
2. 새로운 워크시트를 엽니다.
3. 시퀀스 생성 쿼리를 입력합니다.
4. F9를 눌러서 실행합니다.
5. 왼쪽의 탐색기에서 시퀀스를 우클릭합니다.
6. 새로고침을 누릅니다.
7. SEQ_BLG_CMT 시퀀스가 생성되었는지 확인합니다.

오라클 시퀀스를 만드는 쿼리는 다음과 같습니다.

```
CREATE SEQUENCE
"{테이블스페이스}"."{시퀀스이름}"
MINVALUE {최소값};
```

357

11.03. 댓글 데이터베이스 연동 레이어 만들기

11.03.01. InsertVO 만들기

```
 1  package v2.mvc.spring.blog.vo;
 2
 3  public class CommentInsertVO {
 4      private int blgContSeq;
 5      private String cmtBdy;
 6      private String tmpPw;
 7      private int seqBlgCmt;
 8
 9      public int getBlgContSeq() {
10          return blgContSeq;
11      }
12      public void setBlgContSeq(int blgContSeq) {
13          this.blgContSeq = blgContSeq;
14      }
15      public String getCmtBdy() {
16          return cmtBdy;
17      }
18      public void setCmtBdy(String cmtBdy) {
19          this.cmtBdy = cmtBdy;
20      }
21      public String getTmpPw() {
22          return tmpPw;
23      }
24      public void setTmpPw(String tmpPw) {
25          this.tmpPw = tmpPw;
26      }
27
28      public int getSeqBlgCmt() {
29          return seqBlgCmt;
30      }
31      public void setSeqBlgCmt(int seqBlgCmt) {
32          this.seqBlgCmt = seqBlgCmt;
33      }
34  }
```

```java
package v2.mvc.spring.blog.vo;

public class CommentInsertVO {
    private int blgContSeq;
    private String cmtBdy;
    private String tmpPw;
    private int seqBlgCmt;

    public int getBlgContSeq() {
        return blgContSeq;
    }
    public void setBlgContSeq(int blgContSeq) {
        this.blgContSeq = blgContSeq;
    }
    public String getCmtBdy() {
        return cmtBdy;
    }
    public void setCmtBdy(String cmtBdy) {
        this.cmtBdy = cmtBdy;
    }
    public String getTmpPw() {
        return tmpPw;
    }
    public void setTmpPw(String tmpPw) {
        this.tmpPw = tmpPw;
    }

    public int getSeqBlgCmt() {
        return seqBlgCmt;
    }
}
```

```
    public void setSeqBlgCmt(int seqBlgCmt) {
        this.seqBlgCmt = seqBlgCmt;
    }
}
```

1. `blog.vo` 패키지 아래에 `CommentInsertVO` 클래스를 생성합니다.
2. 댓글 입력에 필요한 멤버변수들을 선언합니다.
3. Generate getters and setters 메뉴를 통해 getter와 setter를 생성합니다.

`seqBlgCmt` 멤버 변수는 마이바티스를 통해 입력되는 값이 아닙니다. 대신 Insert 구문이 실행되고 나서 PK를 담는 용도로 쓰여집니다.

```
private int seqBlgCmt;
```

11.03.02. 매퍼 XML 만들기

```
1  <?xml version="1.0" encoding="UTF-8"?>
2  <!DOCTYPE  mapper PUBLIC "-//mybatis.org//DTD Mapper 3.0//EN" "http://mybatis.org/dtd/mybatis-3-mapper.dtd">
3  <mapper namespace="v2.mvc.spring.blog.mapper.CommentMapper">
4      <insert id="insert" parameterType="v2.mvc.spring.blog.vo.CommentInsertVO">
5          <selectKey keyProperty="seqBlgCmt" resultType="java.lang.Integer" order="BEFORE">
6              select SEQ_BLG_CMT.NEXTVAL from dual
7          </selectKey>
8          <![CDATA[
9          INSERT INTO TB_BLG_CMT
10         (BLG_CMT_SEQ, BLG_CONT_SEQ, CMT_BDY, TMP_PW)
11         VALUES
12         (#{seqBlgCmt}, #{blgContSeq}, #{cmtBdy}, #{tmpPw, jdbcType=NVARCHAR})
13         ]]>
14     </insert>
15 </mapper>
```

/src/main/resources/sqlmap/TB_BLG_CMT_MAPPER_SQL.xml

```
<?xml version="1.0" encoding="UTF-8"?>
<!DOCTYPE  mapper PUBLIC "-//mybatis.org//DTD Mapper 3.0//EN" "http://mybatis.org/dtd/mybatis-3-mapper.dtd">
```

```
<mapper namespace="v2.mvc.spring.blog.mapper.Comme
ntMapper">
    <insert id="insert" parameterType="v2.mvc.spri
ng.blog.vo.CommentInsertVO">
        <selectKey keyProperty="seqBlgCmt" resultT
ype="java.lang.Integer" order="BEFORE">
            select SEQ_BLG_CMT.NEXTVAL from dual
        </selectKey>
        <![CDATA[
        INSERT INTO TB_BLG_CMT
        (BLG_CMT_SEQ, BLG_CONT_SEQ, CMT_BDY, TMP_P
W)
        VALUES
        (#{seqBlgCmt}, #{blgContSeq}, #{cmtBdy}, #
{tmpPw, jdbcType=NVARCHAR})
        ]]>
    </insert>
</mapper>
```

1. sqlmap 폴더 아래에 TB_BLG_CMT_MAPPER_SQL.xml 파일을 생
   성합니다.
2. TB_BLG_CONT_MAPPER_SQL.xml 파일에서 <?xml 정의 라인부
   터 mapper 라인까지 복사합니다.
3. 매퍼의 네임스페이스를 CommentMapper 로 변경합니다.
4. TB_BLG_CONT_SQL.xml 파일을 열고 <insert 부터 </insert
   > 까지 복사해서 TB_BLG_CMT_MAPPER_SQL.xml 파일에 붙여
   넣습니다.
5. <insert 태그의 parameterType 을 v2.mvc.spring.blog.vo
   .CommentInsertVO 로 변경합니다.
6. selectKey 태그의 keyProperty 속성을 seqBlgCmt 로 바꿉
   니다.
7. selectKey 태그 내용의 쿼리를 댓글 시퀀스 이름인 seqBlgC

`mt` 로 변경합니다.

8. INSERT 구문을 입력합니다.

테이블을 설계할 때 `tmpPw` 는 `null` 을 허용했습니다. 즉 `tmpPw` 열의
값은 있을 수도 있고 없을 수도 있다는 이야기입니다.

SQL 쿼리에서는 값이 `null` 이라면 `NULL` 로 표기하면 되지만, 마이바
티스는 그렇게 할 수가 없습니다. 마이바티스는 값에 NULL 이 들어오
면 데이터 타입을 유추할 수가 없어서 오류를 발생시킵니다.

즉 `CommentInsertVO.tmpPw == null` 일 경우 오류가 납니다. 이를 피
하는 방법은 마이바티스가 값을 유추하지 않고 지정하도록 `jdbcType`
을 명시해 주는 것입니다.

```
#{tmpPw, jdbcType=NVARCHAR}
```

```
 1  package v2.mvc.spring.blog.mapper;
 2
 3  import org.apache.ibatis.annotations.Mapper;
 4
 5  import v2.mvc.spring.blog.vo.CommentInsertVO;
 6
 7  @Mapper
 8  public interface CommentMapper {
 9      int insert(CommentInsertVO commentInsertVO);
10  }
11
```

/src/main/java/v2/mvc/spring/blog/mapper/Comment
Mapper.java

```
@Mapper
public interface CommentMapper {
    int insert(CommentInsertVO commentInsertVO);
}
```

1. blog.mapper 패키지에 CommentMapper 인터페이스를 생성
   합니다.
2. insert 메소드를 선언합니다.
3. @Mapper 어노테이션을 붙입니다.
4. 자동 불러오기를 통해 패키지를 불러옵니다.

11.04. 댓글 서비스 레이어 만들기

11.04.01. 서비스 레이어 만들기 개요

이번에는 서비스 인터페이스부터 만들고 서비스 구현 클래스가 구현하는 형태가 아니라, 서비스 클래스부터 만들어서 인터페이스를 생성하는 방법을 알아봅니다.

어느정도 개발에 익숙해지시고 실전에 들어가면, 무슨 기능을 만들어야겠다..라는 말을 들었을 때 대충 어떤 코드를 짤지 떠오르는 경우가 있습니다. 그럴 때 인터페이스부터 만들기 시작하면 내용보다 절차가 중요해지는 꼴이 되므로, 일단 구현 클래스부터 만들고 나중에 인터페이스를 자동 생성할 수도 있습니다.

~~물론 원칙론자 분들은 개거품을 무시겠지만, 저는 실전 없는 이론은 공허하다고 생각하는 현실주의자이기 때문에 무시하겠습니다.~~

11.04.02. 서비스 구현 클래스 만들기

```
1 package v2.mvc.spring.blog.service.impl;
2
3 import org.springframework.stereotype.Service;
4 import v2.mvc.spring.blog.mapper.CommentMapper;
5
6
7 @Service
8 public class CommentServiceImpl implements CommentService {
9     private CommentMapper commentMapper;
10
11     public CommentServiceImpl(CommentMapper commentMapper) {
12         this.commentMapper = commentMapper;
13     }
14 }
```

```
/src/main/java/v2/mvc/spring/blog/service/impl/C
ommentServiceImpl.java
@Service
public class CommentServiceImpl implements Comment
Service {
    private CommentMapper commentMapper;

    public CommentServiceImpl(CommentMapper commen
tMapper) {
        this.commentMapper = commentMapper;
    }
}
```

1. blog.service.impl 패키지 아래에 CommentServiceImpl 클래스를 생성합니다. 이 때 인터페이스는 지정하지 않습니다.
2. 생성자 주입을 할 것이므로 commentMapper 멤버변수를 선언합니다.
3. 생성자를 만듭니다.
4. 클래스 선언 오른쪽에 implements CommentService 코드를 붙입니다.
5. 클래스 선언 위에 @Service 어노테이션을 붙입니다.

11.04.03. 서비스 인터페이스 생성 메뉴 진입

```
1  package v2.mvc.spring.blog.service.impl;
2
3  import org.springframework.stereotype.Service;
4  import v2.mvc.spring.blog.mapper.CommentMapper;
5
6
7  @Service
8  public class CommentServiceImpl implements CommentService {
9      private CommentMapper commentMapper;
10
11     public CommentServiceImpl(CommentMapper
12         this.commentMapper = commentMapper;
13     }
14 }
```

CommentService cannot be resolved to a type
6 quick fixes available:
- Create interface 'CommentService'
- Change to 'Comment' (java...l.stream.events)
- Change to 'Comment' (org.w3c.dom)
- Change to 'CompletionService' (java.util.concurrent)
- Change to 'ConversionService' (org.springframework.core.convert)
- Fix project setup

1. `CommentService` 부분에 빨간 줄이 가 있는 것을 확인합니다.
2. 빨간 줄 위에 마우스를 올립니다.
3. `create interface` 메뉴를 클릭합니다.

11.04.04. 서비스 인터페이스 생성 팝업

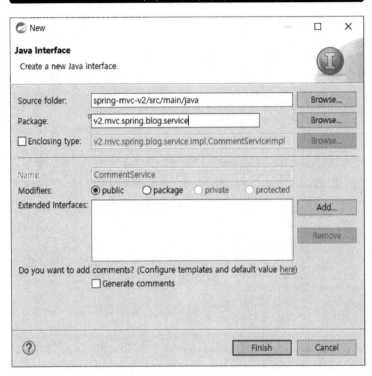

1. 서비스 인터페이스 생성 팝업이 보여집니다.
2. 패키지가 `v2.mvc.spring.blog.service.impl` 로 되어 있습니다. `.impl` 을 삭제해서 `v2.mvc.spring.blog.service` 로 변경합니다.
3. Finish 버튼을 누릅니다.

STS에서 서비스를 자동 생성할 경우 기본 패키지 경로는 클래스 경로를 지정해 줍니다. 따라서 `.impl` 을 제외하고 `.service` 로 패키지 위치를 지정해 준 것입니다.

11.04.05. 서비스 인터페이스 생성 확인

```
1  package v2.mvc.spring.blog.service;
2
3  public interface CommentService {
4
5  }
6  |
```

1. STS가 만들어 준 서비스 인터페이스를 확인합니다.

```java
1  package v2.mvc.spring.blog.vo;
2
3  public class CommentAddRequestVO {
4      private int blgContSeq;
5      private String cmtBdy;
6      private String tmpPw;
7
8      public int getBlgContSeq() {
9          return blgContSeq;
10     }
11     public void setBlgContSeq(int blgContSeq) {
12         this.blgContSeq = blgContSeq;
13     }
14     public String getCmtBdy() {
15         return cmtBdy;
16     }
17     public void setCmtBdy(String cmtBdy) {
18         this.cmtBdy = cmtBdy;
19     }
20     public String getTmpPw() {
21         return tmpPw;
22     }
23     public void setTmpPw(String tmpPw) {
24         this.tmpPw = tmpPw;
25     }
26 }
```

/src/main/java/v2/mvc/spring/blog/vo/CommentAddR
equestVO.java

```java
package v2.mvc.spring.blog.vo;

public class CommentAddRequestVO {
    private int blgContSeq;
    private String cmtBdy;
    private String tmpPw;
```

```
    public int getBlgContSeq() {
        return blgContSeq;
    }
    public void setBlgContSeq(int blgContSeq) {
        this.blgContSeq = blgContSeq;
    }
    public String getCmtBdy() {
        return cmtBdy;
    }
    public void setCmtBdy(String cmtBdy) {
        this.cmtBdy = cmtBdy;
    }
    public String getTmpPw() {
        return tmpPw;
    }
    public void setTmpPw(String tmpPw) {
        this.tmpPw = tmpPw;
    }
}
```

1. `blog.vo` 패키지 아래에 `CommentAddRequestVO` 클래스를 생성합니다.
2. 댓글 요청에 필요한 멤버변수들을 선언합니다.
3. Generate getters and setters 메뉴를 통해 getter와 setter를 생성합니다.

이미 댓글을 저장하기 위해 필요한 `CommentInsertVO` 를 생성음에도 요청을 전담하는 VO를 추가로 만들었습니다. 이는 데이터 저장을 위한 항목과 요청을 받기 위한 항목이 다르기 때문입니다.

```
/src/main/java/v2/mvc/spring/blog/vo/CommentInse
rtVO.java
public class CommentInsertVO {
    private int blgContSeq;
    private String cmtBdy;
    private String tmpPw;
    private int seqBlgCmt;
```

```
/src/main/java/v2/mvc/spring/blog/vo/CommentAddR
equestVO.java
public class CommentAddRequestVO {
    private int blgContSeq;
    private String cmtBdy;
    private String tmpPw;
```

CommentInsertVO 에는 데이터베이스에 값을 입력하고 난 후의 PK를 저장하기 위한 seqBlgCmt 멤버 변수가 있습니다. 하지만 사용자가 웹 어플리케이션에 요청을 할 때는 필요도 없고 입력할 수도 없는 항목입니다. 따라서 요청에 쓰는 VO 객체 CommentAddRequestVO 와 데이터 저장에 사용되는 VO 객체 CommentInsertVO 를 분리하겠습니다.

> 물론 CommentInsertVO.seqBlgCmt 멤버 변수를 null 로 설정하는 방법도 있을 수 있습니다. 이 방법은 자칫하면 VO가 중구난방으로 사용될 가능성이 있어서 추천하지 않습니다.
>
> 조금 더 객체지향에 익숙하신 분이라면 CommentAddRequest VO 를 먼저 만들고 CommentInsertVO 가 상속해서 seqBlgCm t 멤버 변수만 추가하는 방법도 떠올리실 수 있습니다.
> 하지만 실무에서는 예제와 다르게 테이블 하나만 대상으로 CRUD를 하는 경우는 많지 않습니다. 보통은 A테이블의 열 몇 개, B테이블의 열 몇 개 .. 등을 동시에 요청받거나, C테이블의 열 일부만 요청을 받기도 합니다. 따라서 서로 용도가

다른 클래스를 상속해서 구현하는 방법은 나쁜 냄새가 나는
패턴 중 하나입니다.

11.04.07. 댓글 응답 VO 작성

```java
 1  package v2.mvc.spring.blog.vo;
 2
 3  public class CommentResponseVO {
 4      private String cmtBdy;
 5      private int seqBlgCmt;
 6
 7      public String getCmtBdy() {
 8          return cmtBdy;
 9      }
10      public void setCmtBdy(String cmtBdy) {
11          this.cmtBdy = cmtBdy;
12      }
13      public int getSeqBlgCmt() {
14          return seqBlgCmt;
15      }
16      public void setSeqBlgCmt(int seqBlgCmt) {
17          this.seqBlgCmt = seqBlgCmt;
18      }
19  }
20
```

**/src/main/java/v2/mvc/spring/blog/vo/CommentResp
onseVO.java**

```java
package v2.mvc.spring.blog.vo;

public class CommentResponseVO {
    private String cmtBdy;
    private int seqBlgCmt;
```

```java
    public String getCmtBdy() {
        return cmtBdy;
    }
    public void setCmtBdy(String cmtBdy) {
        this.cmtBdy = cmtBdy;
    }
    public int getSeqBlgCmt() {
        return seqBlgCmt;
    }
    public void setSeqBlgCmt(int seqBlgCmt) {
        this.seqBlgCmt = seqBlgCmt;
    }
}
```

1. `CommentAddRequestVO` 파일을 복사합니다.
2. 같은 패키지에 붙여넣기하면 클래스 이름을 물어봅니다. `Comm entResponseVO` 로 입력합니다.
3. `CommentResponseVO` 클래스 본문을 모두 삭제합니다.
4. `cmtBdy`, `seqBlgCmt` 멤버 변수를 `CommentAddRequestVO` 에서 복사합니다.
5. `cmtBdy`, `seqBlgCmt` 멤버 변수에 해당하는 getter와 setter를 `CommentAddRequestVO` 에서 복사합니다.

댓글을 저장하고 난 뒤 클라이언트에 응답할 VO를 만듭니다.

뷰를 사용하는 경우에는 `CommentInsertVO` 를 그대로 사용해도 관계 없습니다. 클라이언트(브라우저)에게 전달하는 값은 이미 서버가 렌더 링한 HTML 이니까요. 즉, 클라이언트는 `CommentInsertVO` 의 내용을 알 수 있는 방법이 없습니다.

하지만 Ajax, 즉 자바스크립트를 통한 비동기 요청을 하거나 API 콜을

할 때는 이야기가 다릅니다. 자바스크립트 객체를 통해 클라이언트와 서버가 통신하기 때문에 서로 자바스크립트 객체 규격을 맞춰줘야 합니다. `CommentResponseVO` 는 이러한 규격을 정의하는 클래스입니다.

요청 하나를 처리하기 위한 VO가 점점 늘어납니다. ~~일을 많이 하는 것처럼 보입니다. 아아 신나.~~ 슬슬 헷갈리기 시작하므로 각 VO를 잠깐 정리하고 넘어가겠습니다.

VO	용도	blgCont Seq	cmt Bdy	tmpP w	seqBl gCmt
-	열 설명	블로그 컨텐츠 PK	댓글 본문	임시 비밀번호	댓글 P K
CommentInse rtVO	데이터베이스에 값 입력	O	O	O	O
CommentAdd RequestVO	클라이언트의 댓글 저장 요청	O	O	O	X
CommentRes ponseVO	클라이언트에게 댓글 저장 요청 응답	X	O	X	O

```
149        <!-- https://mvnrepository.com/artifact/com.oracle.database.jdbc/ojdbc8 -->
150     <dependency>
151            <groupId>com.oracle.database.jdbc</groupId>
152            <artifactId>ojdbc8</artifactId>
153            <version>21.11.0.0</version>
154     </dependency>
155
156        <!-- https://mvnrepository.com/artifact/org.modelmapper/modelmapper -->
157     <dependency>
158            <groupId>org.modelmapper</groupId>
159            <artifactId>modelmapper</artifactId>
160            <version>3.2.0</version>
161     </dependency>
162
163        <!-- https://mvnrepository.com/artifact/commons-codec/commons-codec -->
164     <dependency>
165            <groupId>commons-codec</groupId>
166            <artifactId>commons-codec</artifactId>
167            <version>1.16.0</version>
168     </dependency>
169
170
171     </dependencies>
```

pom.xml

```xml
<!-- https://mvnrepository.com/artifact/org.modelm
apper/modelmapper -->
<dependency>
    <groupId>org.modelmapper</groupId>
    <artifactId>modelmapper</artifactId>
    <version>3.2.0</version>
</dependency>

<!-- https://mvnrepository.com/artifact/commons-co
dec/commons-codec -->
<dependency>
    <groupId>commons-codec</groupId>
    <artifactId>commons-codec</artifactId>
    <version>1.16.0</version>
</dependency>
```

1. pom.xml 파일에 modelmapper 의존성을 추가합니다.
2. commons-codec 의존성도 추가합니다.
3. 메이븐 빌드를 통해 라이브러리를 다운로드합니다.

`modelmapper` 는 서로 다른 타입의 인스턴스간의 값을 동기화해주는 역할을 하는 라이브러리입니다. 사용법은 바로 아래에서 확인합니다.

`commons-codec` 은 값을 해시로 만드는 유틸리티입니다. 임시 비밀번호가 입력될 경우 임시 비밀번호를 암호화하기 위해 사용합니다.

11.04.09. 서비스 구현 클래스 add 메소드 추가

```java
13    public CommentServiceImpl(CommentMapper commentMapper) {
14        this.commentMapper = commentMapper;
15    }
16
17    @Override
18    public CommentResponseVO add(CommentAddRequestVO commentAddRequestVO){
19        ModelMapper modelMapper = new ModelMapper();
20        CommentInsertVO commentInsertVO = modelMapper.map(commentAddRequestVO, CommentInsertVO.class);
21
22        if (commentInsertVO.getTmpPw() != null) {
23            String sha256hex = DigestUtils.sha256Hex(commentInsertVO.getTmpPw());
24            commentInsertVO.setTmpPw(sha256hex);
25        }
26
27        int affectRowCount = this.commentMapper.insert(commentInsertVO);
28
29        if (affectRowCount == 0) {
30            return null;
31        }
32
33        ModelMapper modelMapperInsertToResponse = new ModelMapper();
34        CommentResponseVO commentResponseVO = modelMapperInsertToResponse.map(commentInsertVO, CommentResponseVO.class);
35
36        return commentResponseVO;
37    }
```

/src/main/java/v2/mvc/spring/blog/service/impl/C ommentServiceImpl.java

```java
@Override
public CommentResponseVO add(CommentAddRequestVO c
ommentAddRequestVO){
    ModelMapper modelMapper = new ModelMapper();
    CommentInsertVO commentInsertVO = modelMapper.
map(commentAddRequestVO, CommentInsertVO.class);
```

```
    if (commentInsertVO.getTmpPw() != null) {
        String sha256hex = DigestUtils.sha256Hex(c
ommentInsertVO.getTmpPw());
        commentInsertVO.setTmpPw(sha256hex);
    }

    int affectRowCount = this.commentMapper.insert
(commentInsertVO);

    if (affectRowCount == 0) {
        return null;
    }

    ModelMapper modelMapperInsertToResponse = new
ModelMapper();
    CommentResponseVO commentResponseVO = modelMap
perInsertToResponse.map(commentInsertVO, CommentRe
sponseVO.class);

    return commentResponseVO;
}
```

1. `CommentServiceImpl.java` 파일을 편집기로 엽니다.
2. `add` 메소드를 추가합니다.

모델 매퍼는 인스턴스를 생성하고 `map` 메소드를 통해 서로 다른 클래스의 인스턴스 값을 매핑시킵니다.

```
ModelMapper modelMapper = new ModelMapper();
CommentInsertVO commentInsertVO = modelMapper.map(
commentAddRequestVO, CommentInsertVO.class);
```

모델 매퍼는 `CommentInsertVO` 클래스의 인스턴스를 생성하고, `comm entAddRequestVO` 인스턴스의 값들을 생성한 인스턴스에 밀어넣습니다.

코드가 실행되면 `commentInsertVO` 인스턴스와 `commentAddRequestV O` 인스턴스의 멤버 변수 `blgContSeq`, `cmtBdy`, `tmpPw` 는 같은 값을 가지게 됩니다. `seqBlgCmt` 멤버 변수는 `CommentInsertVO` 클래스에만 존재하기 때문에 바인딩되지 않습니다.

만약 임시 비밀번호가 비어있지 않다면, 임시 비밀번호를 암호화합니다.

```
if (commentInsertVO.getTmpPw() != null) {
    String sha256hex = DigestUtils.sha256Hex(c
ommentInsertVO.getTmpPw());
    commentInsertVO.setTmpPw(sha256hex);
}
```

`DigestUtils.sha256Hex` 정적 메소드는 문자열을 SHA256 해시 알고리즘을 통해 SHA256 값으로 변경합니다.

> SHA256은 해시 알고리즘으로, 문자열을 64바이트 해시 문자열로 바꿔줍니다.

정상적으로 데이터 입력이 성공했다면, `commentInsertVO` 객체를 Co mmentResponseVO 타입 객체로 매핑합니다.

```
CommentResponseVO commentResponseVO = modelMapperI
nsertToResponse.map(commentInsertVO, CommentRespon
seVO.class);
```

`commentInsertVO` 객체가 가지고 있던 `cmtBdy` , `seqBlgCmt` 값이 `co mmentResponseVO` 객체에 바인딩될꺼에요.

11.04.10. DigestUtils 네임스페이스 선택

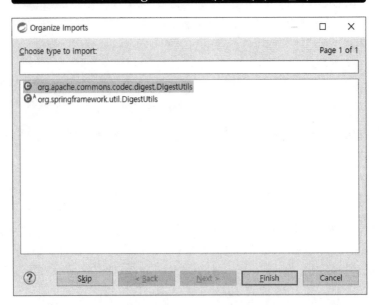

1. 자동 불러오기를 실행시키면 DigestUtils 패키지를 선택하라는 화면이 나옵니다.
2. org.apache 로 시작하는 패키지를 선택합니다.

STS는 유일한 이름이라면 자동으로 패키지를 임포트합니다 . 하지만 같은 이름의 메소드가 여러 패키지에 있을 경우 어 떤 패키지인지 물어볼 꺼에요.

1. add 메소드 정의 위에 마우스를 올립니다.
2. Create 'add' … 를 클릭합니다.
3. 서비스 인터페이스에 add 메소드가 추가되었는지 확인합니다.

11.05. 댓글 웹 레이어 만들기

11.05.01. 컨트롤러 추가

```
1  package v2.mvc.spring.blog.controller;
2
3  import org.springframework.beans.factory.annotation.Autowired;
4  import org.springframework.stereotype.Controller;
5  import org.springframework.web.bind.annotation.PostMapping;
6  import org.springframework.web.bind.annotation.RequestMapping;
7  import org.springframework.web.bind.annotation.ResponseBody;
8
9  import v2.mvc.spring.blog.service.CommentService;
10 import v2.mvc.spring.blog.vo.CommentAddRequestVO;
11 import v2.mvc.spring.blog.vo.CommentResponseVO;
12
13 @Controller
14 @RequestMapping("/comment")
15 public class CommentController {
16
17     @Autowired
18     private CommentService commentService;
19
20     @PostMapping("/add")
21     @ResponseBody
22     public CommentResponseVO add(CommentAddRequestVO commentAddRequestVO) {
23         return this.commentService.add(commentAddRequestVO);
24     }
25 }
26
```

/src/main/java/v2/mvc/spring/blog/controller/BlogController.java

```
package v2.mvc.spring.blog.controller;

import java.util.List;

import org.springframework.beans.factory.annotation.Autowired;
import org.springframework.stereotype.Controller;
import org.springframework.web.bind.annotation.GetMapping;
import org.springframework.web.bind.annotation.PathVariable;
import org.springframework.web.bind.annotation.PostMapping;
```

```java
import org.springframework.web.bind.annotation.Req
uestMapping;
import org.springframework.web.bind.annotation.Res
ponseBody;

import v2.mvc.spring.blog.service.CommentService;
import v2.mvc.spring.blog.vo.CommentAddRequestVO;
import v2.mvc.spring.blog.vo.CommentResponseVO;

@Controller
@RequestMapping("/comment")
public class CommentController {

    @Autowired
    private CommentService commentService;

    @PostMapping("/add")
    @ResponseBody
    public CommentResponseVO add(CommentAddRequest
VO commentAddRequestVO) {
        return this.commentService.add(commentAddR
equestVO);
    }
}
```

1. controller 패키지 아래에 CommentController 클래스를 생
   성합니다.
2. 상기 코드를 입력합니다.
3. 자동 불러오기를 통해 패키지들을 불러옵니다.

@RequestMapping 어노테이션이 클래스 위에 선언되면, 해당 컨트롤

러 클래스 모든 요청의 접두어(prefix - 프리픽스)가 됩니다.

```
@RequestMapping("/comment")
```

예를 들어 아래의 `add` 메소드의 요청 경로는 `/add` 이므로 클래스의
어노테이션과 합쳐져서 클라이언트가 `/comment/add` URL에 요청을
보내면 `CommentController.add` 메소드가 실행됩니다.

> 거의 대부분의 경우 하나의 컨트롤러는 같은 접두어를 가지
> 는 경우가 많으므로 유용하게 쓰입니다.

`@ResponseBody` 어노테이션은 스프링에게 "뷰에게 데이터를 전달하
는 대신 곧바로 응답을 클라이언트에게 전송한다"는 의미의 어노테이
션입니다.

```
@ResponseBody
```

메소드의 응답 타입이 `CommentResponseVO` 이므로 `CommentResponse`
`VO` 타입의 값이 컨버터를 거쳐 클라이언트에게 전달됩니다.
예를 들어 `CommentResponseVO` 의 값이 다음과 같다고 가정하겠습니
다.

```
CommentResponseVO(cmtBdy="예제 댓글", seqBlgCmt=321
)
```

클라이언트는 자바 객체를 그대로 전송받는 대신 다음과 같은 JSON(
JavaScript Object Notation)을 받게 됩니다.

```
{
    "cmtBdy": "예제 댓글",
    "seqBlgCmt" : 321
}
```

> 클라이언트에게 전달할 데이터 형식의 변환은 메세지 컨버터가 담당합니다. 메세지 컨버터는 "객체를 다른 객체 형식으로 바꿔주는 기능을 하는 클래스"를 말합니다.

11.05.02. 잭슨 메이븐 다운로드

```
163        <!-- https://mvnrepository.com/artifact/commons-codec/commons-codec -->
164        <dependency>
165            <groupId>commons-codec</groupId>
166            <artifactId>commons-codec</artifactId>
167            <version>1.16.0</version>
168        </dependency>
169
170        <!-- https://mvnrepository.com/artifact/com.fasterxml.jackson.core/jackson-databind -->
171        <dependency>
172            <groupId>com.fasterxml.jackson.core</groupId>
173            <artifactId>jackson-databind</artifactId>
174            <version>2.14.3</version>
175        </dependency>
176
177
178    </dependencies>
```

pom.xml
```xml
<!-- https://mvnrepository.com/artifact/com.faster
xml.jackson.core/jackson-databind -->
<dependency>
    <groupId>com.fasterxml.jackson.core</groupId>
    <artifactId>jackson-databind</artifactId>
    <version>2.9.10</version>
</dependency>
```

1. `pom.xml` 파일을 엽니다.
2. jackson 의존성을 추가합니다.
3. 메이븐 빌드를 합니다.

잭슨(jackson)은 자바 객체를 JSON 객체로 바꿔주는 메세지 컨버터입니다. 스프링 3.1 버전 이후부터는 프로젝트에 잭슨이 포함되어 있다면 스프링은 잭슨을 인식해서 메세지 컨버터로 등록합니다.

```
22   <div>
23       <form method="post" action="/delete">
24           <input type="hidden" name = "_method" value = "delete"/>
25           <input type="hidden" name = "blogContSeq" value = "${blogCont.BLG_CONT_SEQ}"/>
26           <input type="submit" name="delete_button" value="삭제" />
27       </form>
28   </div>
29
30   <div>
31       <input type='text' id='cmtBdy' style='width:40%' />
32       <input type='password' id='tmpPw' style='width:40%' />
33       <input type='button' id='btn_comment_add' value='댓글 쓰기' />
34   </div>
```

```
<div>
    <input type='text' id='cmtBdy' style='width:40
%' />
    <input type='password' id='tmpPw' style='width
:40%' />
    <input type='button' id='btn_comment_add' valu
e='댓글 쓰기' />
</div>
```

1. read.jsp 파일을 엽니다.
2. 삭제 버튼 아래에 html 코드를 입력합니다.

----

password 타입의 input 태그는 text 타입과 동일하게 한 줄 입력
을 나타내지만, 입력한 글자가 * 로 마스킹되어 보여집니다.

```
<input type='password' id='tmpPw' style='width:40%
' />
```

----

button 타입의 input 태그 외관은 submit 태그와 동일하지만, sub
mit 이 서버로 데이터를 전송하는 데 반해 button 은 서버로 데이터를
전송하지 않습니다.

```
<input type='button' id='btn_comment_add' value='댓
글 쓰기' />
```

따라서 클라이언트에서 뭔가 버튼 이벤트를 처리할 일이 있을 때 사용
합니다.

11.05.04. jQuery CDN 접속

1. 브라우저로 https://releases.jquery.com/ 에 접속합니다. 혹은
   검색창에 jquery cdn 이라고 검색한 후 들어가셔도 됩니다.
2. jQuery Core에서 minified를 클릭합니다.

- -

jQuery는 웹브라우저에서 사용되는 프론트엔드 자바스크립트 라이브
러리입니다. 우리는 이번 프로젝트에서 간단한 비동기 호출을 구현하
기 위해 jQuery를 사용합니다.

> 요새 누가 jQuery를 쓰나며 암덩어리 취급을 하는 분들도 가
> 끔 계시는데요. 리액트나 뷰(vue) 등이 활성화되기 전에는
> 크로스 브라우징 이슈 때문에 jQuery 말고는 어떠한 해답도
> 없었던 시기가 있었습니다. ~~그리고 그것이 바로 여러분이 일~~
> ~~하시게 될 프로젝트입니다.~~
> 일반적인 HTML에 단순한 스크립트를 덧붙이는 방식으로

구현하려면 현재까지는 jQuery가 가장 최고의 선택이라고
생각합니다.

CDN(Content Delivery Network)은 리소스를 여러군데 분
산시켜두고 사용자에게 가까운 서버에게 데이터 전송을 맡
기는 방법입니다.
간단하게 인터넷 어딘가에 있는 리소스(이경우에는 jQuery
코드)를 가져오는 것이라고 이해하시면 편합니다.

11.05.05. Content Delivery Network 주소 복사

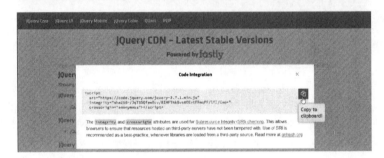

1. 모달 팝업이 보입니다.
2. 복사 버튼을 눌러서 클립보드로 복사합니다.

```
33          <input type='button' id='btn_comment_add' value='댓글 쓰기' />
34      </div>
35
36      <script src="https://code.jquery.com/jquery-3.7.1.min.js" integrity="sha256-/Jt
37ㅋ    <script type="text/javascript">
38          $("#btn_comment_add").click(function(){
39              let blgContSeq = ${blogCont.BLG_CONT_SEQ};
40              let cmtBdy = $("#cmtBdy").val();
41              let tmpPw = $("#tmpPw").val();
42
43              let send_data = {};
44              if (tmpPw == ""){
45                  send_data = {
46                      "blgContSeq": blgContSeq,
47                      "cmtBdy" : cmtBdy
48                  };
49              }else{
50                  send_data = {
51                      "blgContSeq": blgContSeq,
52                      "cmtBdy" : cmtBdy,
53                      "tmpPw" : tmpPw,
54                  };
55              }
56
57              $.post( "/comment/add", send_data, function( data ) {
58                  console.log(data);
59              });
60          });
61      </script>
```

/src/main/webapp/WEB-INF/views/blog/read.jsp

```
<script src="https://code.jquery.com/jquery-3.7.1.
min.js" integrity="sha256-/JqT3SQfawRcv/BIHPThkBvs
00EvtFFmqPF/lYI/Cxo=" crossorigin="anonymous"></sc
ript>
<script type="text/javascript">
    $("#btn_comment_add").click(function(){
        let blgContSeq = ${blogCont.BLG_CONT_SEQ};
        let cmtBdy = $("#cmtBdy").val();
        let tmpPw = $("#tmpPw").val();
        let send_data = {};
```

```
        if (tmpPw == ""){
            send_data = {
                "blgContSeq": blgContSeq,
                "cmtBdy" : cmtBdy
            };
        }else{
            send_data = {
                "blgContSeq": blgContSeq,
                "cmtBdy" : cmtBdy,
                "tmpPw" : tmpPw,
            };
        }

        $.post( "/comment/add", send_data, functio
n( data ) {
            console.log(data);
        });
    });
</script>
```

1. read.jsp 파일을 엽니다.
2. jquery cdn 에서 복사한 내용을 붙여넣습니다.
3. `<script type="text/javascript">` 부터 `</script>` 까지
   입력합니다.

브라우저에서 스크립트를 불러오려면 `<script src` 구문을 사용합니
다.

```
<script src="https://code.jquery.com/jquery-3.7.1.
min.js" integrity="sha256-/JqT3SQfawRcv/BIHPThkBvs
00EvtFFmqPF/lYI/Cxo=" crossorigin="anonymous"></sc
ript>
```

인터넷 어딘가에 위치한 jQuery CDN을 가져왔습니다.

자바스크립트 영역을 시작합니다.

```
<script type="text/javascript">
```

댓글 추가 버튼이 클릭될 때의 이벤트를 정의합니다.

```
$("#btn_comment_add").click(function(){
```

$ 는 jQuery 객체 생성자입니다. # 으로 시작하면 html DOM(Docum
ent Object Model)의 id 항목을 나타냅니다.
따라서 위 코드는 btn_comment_add 라는 id(#)를 가진 html 태그를 j
Query 객체 형식으로 생성($( ))한 후, 클릭 이벤트가 일어났을 때(cl
ick) 실행되는 익명 함수(function)를 정의하는 것입니다.

```
let blgContSeq = ${blogCont.BLG_CONT_SEQ};
```

JSTL 문법으로 blgContSeq 변수를 정의합니다. 이 코드는 뷰를 통해
렌더링되면 let blogContSeq = 3; 처럼 바뀝니다.

let 은 자바스크립트에서 변수를 선언하는 방법입니다. 처음으로 변
수를 선언할 때 쓰입니다.

> let 을 이용한 변수 선언은 2015년에 출시된 ES6(ECMA
> Script 6)에서 처음 나온 기능으로 이전까지는 var 를 이용

한 변수 선언만 가능했습니다.

`var` 와 `let` 의 차이는 많지만, 가장 큰 차이는 변수의 스코프입니다. `let` 은 블럭 단위로 동작하는 반면 `var` 는 전역, 혹은 함수 단위로 동작합니다.

실무에서 자바스크립트 코드를 보면 도무지 왜 이렇게 동작하는지 알 수가 없는 코드들이 산재해 있습니다. ~~그리고 버그도 널려있죠.~~ 그럴 때 가장 먼저 의심해 봐야 하는 것이 `var` 의 스코핑입니다.

댓글 본문과 임시 비밀번호는 html에서 가져옵니다. 사용자가 무언가 값을 입력했을 경우, 입력한 값을 읽을 수 있습니다.

```
let cmtBdy = $("#cmtBdy").val();
let tmpPw = $("#tmpPw").val();
```

`.val()` 메소드는 jQuery의 메소드로, DOM 객체의 `value` 속성을 읽습니다. 우리가 html에 정의한 `cmtBdy` 태그를 다시 한번 살펴봅니다.

```
<input type='text' id='cmtBdy' style='width:40%' />
```

만약에 브라우저에서 댓글 입력 란에 "ABCD"라고 입력한다면, 브라우저에서는 DOM을 이렇게 인식합니다.

```
<input type='text' id='cmtBdy' style='width:40%' value="ABCD" />
```

DOM 이 변경되었으므로, jQuery에서도 변경된 DOM을 읽을 수 있게 됩니다.

```
let cmtBdy = $("#cmtBdy").val(); // ABCD
```

임시 비밀번호를 입력하지 않았을 경우에는 `blgContSeq`, `cmtBdy` 두 개의 항목을 가진 딕셔너리 객체를 생성하고, 임시 비밀번호를 입력했을 때는 `blgContSeq`, `cmtBdy`, `tmpPw` 세 개의 항목을 가진 딕셔너리를 만듭니다.

```javascript
let send_data = {};
if (tmpPw == ""){
    send_data = {
        "blgContSeq": blgContSeq,
        "cmtBdy" : cmtBdy
    };
}else{
    send_data = {
        "blgContSeq": blgContSeq,
        "cmtBdy" : cmtBdy,
        "tmpPw" : tmpPw,
    };
}
```

`send_data` 변수가 가장 기본적인 JSON 타입입니다. `{}` 은 딕셔너리 (사전 - 자바로 따지자면 Map)을 나타내며 `"{키}"`: `{값}` 형태로 사용합니다. 각 항목은 `,` 로 구분합니다.

----

jQuery의 `post` 메소드를 이용해 서버로 POST 요청을 보냅니다.

```javascript
$.post( "/comment/add", send_data, function( data
) {
    console.log(data);
});
```

첫번째 매개변수는 POST 요청을 보낼 주소, 두번째 매개변수는 보낼 데이터, 세번째 인수는 콜백 함수로 서버로 요청을 보낸 후 응답을 받으면 실행할 내용을 기재합니다.

아직 전체 코드를 작성하지 않았으므로, 서버가 클라이언트에게 보내
준 데이터를 콘솔에 로깅하는 임시 코드로 데이터 통신만 확인합니다.

자바스크립트를 이용해서 서버로 데이터만 주고 받는 방식을 AJAX(A
synchronous JavaScript and XML)라고 합니다. 일반적인 폼 방식이
페이지를 새로고침하는 데 반해 AJAX는 새로고침없이 서버와 데이터
를 주고받을 수 있습니다.

11.05.07. 댓글 추가 ajax 확인하기

글번호 : 27

제목 : 컨트롤러를 통한 저장 테스트

컨트롤러를 통한 저장 테스트
본문 테스트
222

입력일 : 2023.11.01 11:52:33

삭제
abcd   ••••   댓글 쓰기

1. 브라우저로 상세보기 화면으로 들어갑니다.
2. 테스트 데이터를 입력해 봅니다.
3. 댓글 쓰기 버튼을 클릭합니다.
4. STS 콘솔에서 오류가 없는지 살펴봅니다.
5. sqldeveloper 에서 데이터가 저장되었는지 확인합니다.

11.05.08. 네트워크 탭 진입

1. 브라우저에서 F12 버튼을 클릭해서 개발자 모드를 켭니다.
2. 네트워크 탭을 클릭합니다.
3. 네트워크 정보가 있는지 확인해 봅니다. 없다면 다시 한번 댓글
   을 써서 전송 버튼을 클릭합니다.
4. 네트워크 정보가 보여지는지 확인합니다.

11.05.09. 네트워크 정보 상세

1. 네트워크 탭에서는 개별 요청이 보여집니다.

11.05.10. 네트워크 요청 정보 보기

1. 요청을 클릭하면 서버로 전송한 상세 정보를 볼 수 있습니다.

1. 서버가 보내준 응답 정보도 브라우저에서 확인 가능합니다.

12. 댓글 목록 기능 만들기

12.01. 댓글 목록 기능 만들기

마지막 챕터입니다. 이제껏 배운 기능들을 통해 댓글 목록을 만들어 봅시다.

여기까지 잘 따라오셨으면 어느정도 흐름은 몸에 익으셨을 꺼라 생각합니다. 이번 챕터는 아무런 설명 없이 코드만 제시합니다. 스스로 해봐야 실력이 늘어납니다.

12.02. 댓글 목록 매퍼 XML

```
14    </insert>
15    <select id="selectListByBlgContSeq"
16        parameterType="java.lang.Integer" resultType="v2.mvc.spring.blog.vo.CommentResponseVO">
17        <![CDATA[
18        SELECT
19        BLG_CMT_SEQ as seqBlgCmt,
20        CMT_BDY as cmtBdy
21        from
22        TB_BLG_CMT
23        WHERE BLG_CONT_SEQ = #{blgContSeq}
24        ]]>
25    </select>
```

/src/main/resources/sqlmap/TB_BLG_CMT_MAPPER_SQL .xml

```xml
<select id="selectListByBlgContSeq"
parameterType="java.lang.Integer" resultType="v2.m
vc.spring.blog.vo.CommentResponseVO">
<![CDATA[
SELECT
BLG_CMT_SEQ as seqBlgCmt,
CMT_BDY as cmtBdy
from
TB_BLG_CMT
WHERE BLG_CONT_SEQ = #{blgContSeq}
]]>
</select>
```

12.03. 댓글 목록 매퍼 인터페이스

```
10  @Mapper
11  public interface CommentMapper {
12      int insert(CommentInsertVO commentInsertVO);
13
14      public List<CommentResponseVO> selectListByBlgContSeq(int blgContSeq);
15  }
16
```

/src/main/java/v2/mvc/spring/blog/mapper/Comment Mapper.java

```
public List<CommentResponseVO> selectListByBlgCont
Seq(int blgContSeq);
```

12.04. 댓글 목록 서비스 구현 클래스

```
46    @Override
47    public List<CommentResponseVO> listByBlgContSeq(int blgContSeq){
48        return this.commentMapper.selectListByBlgContSeq(blgContSeq);
49    }
```

/src/main/java/v2/mvc/spring/blog/service/impl/C ommentServiceImpl.java

```
@Override
public List<CommentResponseVO> listByBlgContSeq(in
t blgContSeq){
    return this.commentMapper.selectListByBlgContS
eq(blgContSeq);
}
```

12.05. 댓글 목록 서비스 인터페이스

```
8   public interface CommentService {
9
10      CommentResponseVO add(CommentAddRequestVO commentAddRequestVO);
11
12      List<CommentResponseVO> listByBlgContSeq(int blgContSeq);
13  }
14
```

```
List<CommentResponseVO> listByBlgContSeq(int blgCo
ntSeq);
```

12.06. 댓글 목록 컨트롤러

```
@GetMapping(value = "/list/{blgContSeq}")
@ResponseBody
public List<CommentResponseVO> listByBlgContSeq(@PathVariable("blgContSeq") int blgContSeq){
    return this.commentService.listByBlgContSeq(blgContSeq);
```

```
@GetMapping(value = "/list/{blgContSeq}")
@ResponseBody
public List<CommentResponseVO> listByBlgContSeq(@P
athVariable("blgContSeq") int blgContSeq){
    return this.commentService.listByBlgContSeq(bl
gContSeq);
}
```

12.07. 댓글 목록 뷰 영역

```
<div>
    <input type='text' id='cmtBdy' style='width:40%' />
    <input type='password' id='tmpPw' style='width:40%' />
    <input type='button' id='btn_comment_add' value='댓글 쓰기' />
</div>
<div id="comment_list">
</div>

<script src="https://code.jquery.com/jquery-3.7.1.min.js" integri
```

```
<div id="comment_list">
</div>
```

397

12.08. 댓글 목록 뷰 자바스크립트 추가

```
function render_comment(cmtBdy, seqBlgCmt){
    let append_val = '<p>{cmtBdy}<a href="/comment/delete/" data-seqBlgCmt="{seqBlgCmt}" class="comment_delete">삭제</a></p>'
        .replace("{seqBlgCmt}", seqBlgCmt)
        .replace("{cmtBdy}", cmtBdy);

    $("#comment_list").append(append_val);
}

function init_comment(){
    $.get("/comment/list/${blogCont.BLG_CONT_SEQ}", function(data){
        for (comment of data){
            render_comment(comment.cmtBdy, comment.seqBlgCmt);
        }
    });
}

$(document).ready(function(){
    init_comment();
});
```

/src/main/webapp/WEB-INF/views/blog/read.jsp

```javascript
function render_comment(cmtBdy, seqBlgCmt, tmpPw){
    let append_val = '<p><a href="/comment/delete/
{seqBlgCmt}">{cmtBdy}</a></p>'
        .replace("{seqBlgCmt}", seqBlgCmt)
        .replace("{cmtBdy}", cmtBdy);

    $("#comment_list").append(append_val);
}

function init_comment(){
    $.get("/comment/list/${blogCont.BLG_CONT_SEQ}"
, function(data){
        for (comment of data){
            render_comment(comment.cmtBdy, comment
.seqBlgCmt);
        }
    });
}

$(document).ready(function(){
    init_comment();
});
```

12.09. 댓글 저장시 추가된 댓글 바로 보이도록 수정

```
59        $.post( "/comment/add", send_data, function( data ) {
60            render_comment(data.cmtBdy, data.seqBlgCmt);
61        });
62    });
63
64    function render_comment(cmtBdy, seqBlgCmt){
```

```
/src/main/webapp/WEB-INF/views/blog/read.jsp
$.post( "/comment/add", send_data, function( data
) {
    render_comment(data.cmtBdy, data.seqBlgCmt);
});
```

12.10. 댓글 목록 최종 확인

글번호 : 27

제목 : 컨트롤러를 통한 저장 테스트

컨트롤러를 통한 저장 테스트
본문 테스트
222

입력일 : 2023.11.01 11:52:33

삭제

aazzzzzasdzsadf			댓글 쓰기

abcd

abcd

abcd

abcd

abcd

abcd

aazzzzz

aazzzzzasdzsadf

12.11. 연습 문제

AJAX를 이용한 댓글 삭제 기능을 만들어 보세요.

13. 글을 마치면서

사실 이 책은 개정판을 낼 계획이 전혀 없었습니다. 초판이 출간되었을 때와는 상황이 달라졌고, 자바 웹 개발 트렌드는 스프링 부트로 많이 옮겨 갔으니까요.

그럼에도 불구하고 다시 글을 쓰게 된 이유는 어찌 보면 단순합니다. 많이 부족했던 첫 책을 구매해 주셨고, 개인적으로 피드백을 주시던 분들에게 오히려 제가 감사하다고 말씀드리고 싶었기 때문입니다.

코드와 글로만 구성되어 있던 전작과는 달리 하나씩 따라할 수 있게 화면을 준비하면서, 오히려 별 것 아닌 내용에 너무 분량이 많아진 것은 아닌가 한켠 걱정도 됩니다만, 처음 입문하는 분들이 너무 개발을 어려워하지 않고 하나씩 따라하면 어떻게든 되기는 한다는 희망을 가지셨으면 좋겠습니다.

이번 책은 의도적으로 github 코드를 공개하지 않습니다. 이전 작에서 github 코드를 공개했더니 직접 입력하시지 않고 복사 붙여넣기만 하시는 분들을 몇 분 뵈었기 때문입니다. 그렇게 하면 전혀 실력이 늘지 않습니다.

다만 혹시나 문제가 생길 경우 참고할 코드 조각이 필요하시다면 생계형 개발자 연서은 블로그 https://ysedeveloper.tistory.com/의 스프링 MVC 하루만에 배우기 개정판 카테고리에서 코드를 확인하실 수 있습니다.

이 글은 너무도 많이 부족합니다. 이 책만으로 실전에서 일을 할 수 있으리라는 기대보다는, 초석을 다지는 숙면베게로 디딤돌로 삼으셨으면 합니다.

더 깊이 있는 지식은 시중에 좋은 책들과 훌륭한 강사분들께서 채워주시리라 믿습니다.

혹시 필자에게 전하고픈 말이 있다면 ysedeveloper@gmail.com 로 연락 부탁드립니다.

읽어주셔서 감사합니다.

도서 정보

제목 | 스프링 MVC 하루만에 배우기 개정판

발행 | 2024.02.19.

저자 | 연서은

펴낸이 | 한건희

펴낸곳 | 주식회사 부크크

출판사등록 | 2014.07.15.(제2014-16호)

주 소 | 서울 금천구 가산디지털1로 119, SK트윈타워 A동 305호

전 화 | 1670 - 8316

이메일 | info@bookk.co.kr

ISBN : 979-11-410-7251-3

www.bookk.co.kr

© 연서은